De la tête
aux pieds

Notre corps

Castor Poche Connaissances
Collection animée par
François Faucher et Martine Lang

Titre original :

BLOOD AND GUTS

Une production de l'Atelier du Père Castor

LINDA ALLISON

De la tête
aux pieds

Notre corps

Texte français de
SOPHIE LAMOTTE D'ARGY

Illustrations de
ÉRIKA HARISPÉ

Castor Poche Connaissances Flammarion

Linda Allison est américaine. Elle est l'auteur de nombreux ouvrages scientifiques pour enfants.

Sophie Lamotte d'Argy, la traductrice, est née en 1963. Elle a commencé à traduire des romans, des contes et des ouvrages pour la jeunesse après avoir décroché une licence d'anglais. Elle collabore à Mégamix, une émission musicale pour la jeunesse diffusée sur ARTE, et compose par ailleurs des chansons tout en s'occupant de ses deux jeunes enfants.

Érika Harispé, l'illustratrice de l'intérieur, est née en Égypte.

« J'ai passé les trois premières années de mon enfance dans une oasis, Ismaïlia, au milieu des sables chauds. Puis je suis venue en France et me suis installée à Nice. Avec mes amis, nous faisions des caricatures des habitants du quartier. Plus tard, au lycée, je dessinais pendant les cours. Aujourd'hui, j'habite avec ma fille Gaëlle pas très loin de Paris, dans une petite maison. Je dessine toujours devant ma fenêtre et j'ai la chance d'observer une trentaine d'oiseaux d'espèces différentes. »

Bruno Gibert, l'illustrateur de la couverture, nous présente l'étrange histoire de sa vie.

« À deux ans, je découvre qu'en avançant et en reculant un peu mon bras avec au bout de la main un crayon, j'obtiens, sur une feuille, des lignes qui se chevauchent, s'entrecoupent, se rejoignent. Ma mère appelle ça : un dessin. Me voilà dessinateur !

« Dix années de collaboration idyllique avec le Père Castor m'ont rempli d'un immense bonheur (et d'un peu d'argent !). Quoi de plus émouvant que de tenir en main cet objet magique – le livre – pour lequel on a travaillé avec des couleurs de peintre du lundi, avec l'espoir de le rendre beau, tout simplement ? »

De la tête aux pieds

Que savons-nous de notre corps ?

En termes simples, clairs et précis, ce guide nous invite à en explorer l'intérieur, à en découvrir les rouages (et les énigmes qui demeurent), du fonctionnement de nos muscles à celui de notre odorat, de notre cerveau...

Une véritable plongée, que rendent plus vivante encore les expériences suggérées, toutes de réalisation facile.

Pour mieux comprendre notre organisme, ce corps que nous habitons et qui est nous.

Sommaire

Avant-propos

Nous sommes tout ça à la fois !

Notre corps est constitué de kilomètres de vaisseaux sanguins, de milliards de cellules, de centaines de muscles, de milliers de cheveux, et de litres de sang.

C'est une machine qui fonctionne grâce à tout un système de leviers, de pompes et de soufflets.

C'est un foyer de décharges électriques et de réactions chimiques.

C'est une chaudière pleine de filtres, et aussi un fantastique ordinateur avec une banque de mémoire énorme.

Enfin, c'est aussi un organisme aux rouages parfaitement huilés qui travaillent tous en harmonie.

C'est vraiment une machine extraordinaire !

Ce livre est conçu pour vous aider à explorer ce monde incroyable qui se cache derrière votre peau.

Il ne faut pas le lire passivement, mais le compulser pour mieux connaître votre propre anatomie ; alors prenez votre temps, observez, examinez, touchez, fouillez et vérifiez par vous-même les choses que vous découvrirez au fil de ces pages.

Ce livre n'est pas exhaustif, et vous pouvez le lire dans le désordre. À n'importe quelle page, vous y trouverez des jeux et des expériences passionnantes. Comme il n'a pas réponse à tout, n'hésitez pas, si vous vous posez d'autres questions, à aller consulter les gros pavés spécialisés de la bibliothèque municipale.

Alors plongez-vous dans ce livre sans plus attendre, vous ne serez pas déçus de ce voyage à l'intérieur de votre corps fait de chair, de sang — et de bien d'autres choses encore...

Faire la part des choses

Globalement, nous sommes tous faits de la même manière.

En effet, tout le monde a deux yeux, deux poumons et deux mains, et tout le monde a également un squelette recouvert de chair. Tout le monde saigne quand il se coupe, et tout le monde élimine ce qu'il a mangé.

Et pourtant nous ne sommes pas tous pareils.

Il y a des gens qui sont grands, d'autres qui sont rondouillards, ou au contraire très musclés. Il y en a aussi qui savent faire bouger leurs oreilles. Certains ont les cheveux frisés comme un mouton, d'autres raides comme des baguettes. Il y en a qui courent très vite, et d'autres qui parlent à toute allure.

Il faudra que vous en teniez compte en faisant les activités proposées dans ce livre. Ce sont justement ces petites différences qui permettent aux êtres vivants de s'adapter à un monde en perpétuel changement.

À propos du vocabulaire scientifique

Dans ce livre, vous trouverez un vocabulaire scientifique auquel vous n'êtes sans doute pas habitué. Si certains mots bizarres vous font penser à une langue étrangère, c'est qu'en effet ils sont pour la plupart d'origine grecque ou latine. Depuis toujours, les savants ont donné des noms grecs ou latins à leurs découvertes parce que les scientifiques du monde entier sont censés comprendre ces deux langues.

Ces mots un peu compliqués sont écrits en gras lorsqu'ils apparaissent pour la première fois.

De toute façon, vous connaissez déjà un tas de préfixes et de mots latins, comme « sub », « in », « ex » ou encore « aquarium », « sanatorium », ou « harmonium ». D'ailleurs, quand on examine n'importe quel mot français, on s'aperçoit très souvent qu'il a une racine latine. Ne vous laissez donc pas intimider !

1. La peau,
enveloppe de notre corps

Les premiers êtres vivants apparus sur terre étaient des animaux marins. L'océan constituait une sorte d'enveloppe qui les protégeait des rayons solaires, et leur permettait de rester au frais dans un milieu humide. Ils baignaient dans des mers riches en éléments nutritifs et en sels minéraux. La peau qui les séparait de leur milieu ambiant était très rudimentaire.

Depuis ces temps reculés, notre environnement et notre peau ont considérablement changé. À l'intérieur du corps, les cellules baignent toujours dans un milieu liquide semblable aux mers d'antan. Mais au-dehors, la peau est exposée à l'air, espace gazeux rempli de vents desséchants et de radiations solaires qui agressent notre organisme constitué à 60 % d'eau. C'est pourquoi l'un des rôles principaux de notre peau est de constituer une enveloppe étanche qui empêche notre « mer interne » de s'évaporer.

En même temps qu'elle conserve l'eau à l'intérieur du corps, la peau nous protège également des bactéries, de la saleté ou des rayons nocifs du soleil.

Elle est aussi un de nos principaux régulateurs thermiques. Le fait de transpirer ou au contraire d'avoir la « chair de poule » permet à notre organisme de garder une température interne constante.

Enfin, la peau est aussi un formidable capteur sensoriel ; grâce à ses milliers de terminaisons nerveuses, elle nous informe de ce qui se passe à l'extérieur.

Contrôle climatique

Si nous autres mammifères à sang chaud sommes si pointilleux sur notre température interne, c'est parce que

14

quelques degrés en plus ou en moins peuvent causer notre mort.

Un des rôles principaux de notre « enveloppe » est donc de nous assurer, par rayonnement et par évaporation, une température constante. Dès que celle-ci s'élève, le cerveau commande au sang d'affluer vers la peau où se trouve tout un réseau de minuscules vaisseaux sanguins. L'excès de chaleur est ainsi transporté par le sang à la surface de la peau, puis évacué par rayonnement. Pendant ce temps, les glandes sudoripares sont activées et sécrètent de la sueur qui, en s'évaporant, fait baisser la température du corps.

Inversement, lorsque notre température diminue, le cerveau commande à l'organisme de faire des réserves de chaleur. Aussitôt, l'afflux de sang vers la surface de la peau diminue et stoppe ainsi la transpiration.

Supposons qu'on veuille faire refroidir une canette de Coca-Cola. En la laissant telle quelle, elle refroidira par rayonnement, mais si on est pressé, on peut la recouvrir d'un linge humide, et elle refroidira par évaporation.

Évaporation

Pour mieux comprendre comment l'évaporation nous permet de rester au frais, faites l'expérience suivante :

• *Un jour où il fait chaud, prenez une paire de chaussettes, passez-en une sous l'eau, et essorez-la.*

• *Enfilez la chaussette mouillée au pied droit, et la chaussette sèche au pied gauche. Que ressentez-vous ?*

Refroidissement rapide

Le degré d'évaporation influe directement sur notre température. La peau y est très sensible. Vous pouvez faire le test sur un ami en utilisant deux liquides ayant chacun un taux d'évaporation différent.

• *Trempez un bout de coton dans l'alcool à 90 ° et un autre dans de l'eau.*
• *Après avoir bandé les yeux de votre ami, frottez-lui un poignet avec le coton imbibé d'alcool, puis l'autre avec le coton imbibé d'eau. Demandez-lui ensuite lequel des deux liquides lui procure la plus grande sensation de froid.*

Chaleur et humidité

Par temps humide, l'air déjà saturé d'eau semble ne plus pouvoir en absorber davantage. Quand on transpire, la sueur a tendance à rester collée à la peau et à ne pas s'évaporer.

Lorsqu'on parle de taux d'humidité de 80 %, cela signifie que l'air contient 80 % d'eau. Par un temps pareil, notre système de régulation thermique est considérablement affaibli et ne fonctionne plus qu'à 20 %. Ce n'est donc pas étonnant qu'on ait trop chaud et qu'on se sente tout moite !

L'organisme peut supporter une chaleur sèche de plus de 100 °C durant plusieurs heures sans pour autant ressentir de malaise. Mais si l'air est très humide et que sa température dépasse 35 °C, celle du corps augmente également.

Les mains moites

Environ deux millions des pores de notre peau sont reliés à des glandes sudoripares ; celles-ci sont regroupées dans certaines régions du corps que vous pouvez localiser grâce à ce test.

• *Dissolvez 2 cuillerées de Maïzena dans une demi-tasse d'eau. Trempez des petits carrés de papier dans cette solution, puis laissez-les sécher.*

• *Badigeonnez la paume de votre main avec de la teinture d'iode en prenant bien garde à ne pas laisser la bouteille à la portée de vos jeunes frères et sœurs.*

• *Faites quelques exercices physiques pour transpirer.*

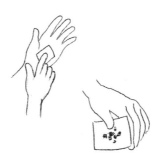

• *Appliquez ensuite un des bouts de papier sur la paume de votre main teintée d'iode. Les glandes sudoripares apparaîtront sous la forme de points foncés.*

Empreintes

Si vous croyez que votre peau est un organe comme les autres, regardez-la d'un peu plus près. Elle assume de nom-

breuses fonctions, et a des aspects variés.
Elle peut être épaisse, fine, claire, foncée,
ou encore lisse ou ridée.

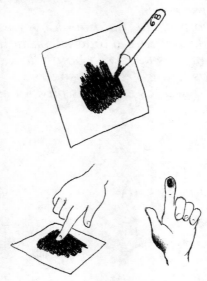

- *Crayonnez une feuille de papier avec une mine tendre.*
- *Frottez votre doigt dessus.*
- *Pressez le bout de votre doigt sali sur un morceau de Scotch puis collez celui-ci sur une feuille de papier.*
- *Refaites la même expérience avec d'autres doigts ou d'autres parties de votre corps, et vous verrez que chaque parcelle de peau a une empreinte différente.*

L'épaisseur de la peau

La peau comprend plusieurs épaisseurs, un peu comme un gâteau d'anniversaire.

D'abord il y a une couche de tissu adipeux. Juste au-dessus se trouve le **derme**, tissu vivant formé de vaisseaux sanguins, de glandes, de cellules nerveuses et de bulbes pileux.

Enfin, l'**épiderme** est la couche superficielle composée de plusieurs strates de cellules mortes.

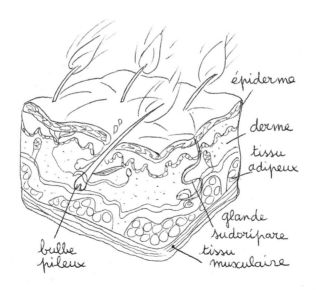

Des cellules neuves se forment constamment au niveau du derme, et repoussent les cellules plus anciennes vers le haut. Une fois à la surface, celles-ci meurent et constituent une couche de peau morte. À chaque frottement, les cellules mortes se détachent par petites parcelles. Grâce à ce processus, la peau se régénère en l'espace de quelques semaines.

Les lignes de pliures

Quand on s'enfonce un clou dans la peau, celle-ci est trouée, ou plutôt entaillée. Des chirurgiens ont dessiné une carte de toutes les lignes invisibles qui sillonnent notre peau et sur lesquelles se forment les rides et les plis. Ainsi, une entaille faite le long d'une de ces lignes laissera par la suite une cicatrice moins visible qu'une blessure déchirant la peau en travers.

Le costume idéal

Notre peau est une sorte de costume dont l'aspect change selon les endroits : elle est tantôt humide ou sèche, épaisse ou très fine, poilue ou lisse ; son élasticité permet une grande liberté de mouvements. Bref, c'est un vêtement idéal qui répond à nos besoins les plus variés.

Contact

Certains endroits de la peau sont renforcés, par exemple aux talons, où elle est très épaisse. En revanche, elle est beaucoup plus fine autour des yeux.

Notre peau nous relie au monde extérieur. Grâce à son vaste réseau de terminaisons nerveuses, elle est parfaitement à même de nous informer de tout ce qui se passe au-dehors.

N'oublions pas qu'elle se compose de deux couches distinctes : le derme, tissu vivant qui se régénère, et l'épiderme, constitué de cellules mortes.

L'épiderme est une sorte de gant protecteur suffisamment mince pour que ses terminaisons nerveuses soient sollicitées par l'extérieur.

Le toucher est un sens très complexe. Il nous permet de ressentir le chaud, le visqueux, l'épais, le poilu, le gras, le dur, le boueux, le glacé, le bouillant, le sec, le craquelé, etc.

Toute cette palette de sensations est perçue à travers quatre types de capteurs principaux qui éprouvent la chaleur, le froid, la pression et la douleur.

Souvent, les sensations sont une combinaison de deux ou plusieurs informations perçues en même temps. Par exemple, quand on nous embrasse, nous ressentons à la fois une pression tactile et de la chaleur. Et lorsqu'on reçoit un coup, on ressent également une certaine pression mêlée à de la douleur.

Repérer les points sensibles au dos de votre main

Les quatre capteurs sensoriels mentionnés plus haut ne sont pas forcément présents sur toute la surface de la peau. On peut ressentir la piqûre d'une épingle à certains endroits, mais pas à d'autres. Si vous êtes sceptique, faites-en l'expérience vous-même.

• *Dessinez au dos de votre main et avec un feutre un carré que vous diviserez en 16 petits carrés égaux.*
• *Dessinez ensuite le même carré sur une feuille de papier.*
• *Appuyez avec la pointe du stylo à l'intérieur de chaque petit carré. Chaque fois que éprouvez une sensation, inscrivez un V dans la case correspondante de la feuille de papier.*
• *Servez-vous du même procédé pour repérer d'autres sensations, que vous reporterez sur la feuille par une lettre différente.*

V = douleur P = pression O = froid
X = chaleur

Connaître sa peau
sur le bout des doigts

La plupart des gens s'imaginent connaître parfaitement le dos de leur main. Mais saviez-vous que deux centimètres carrés de peau épaisse de seulement un millimètre contiennent :

2,75 mètres de vaisseaux sanguins
600 capteurs de douleur
30 poils
300 glandes sudoripares
4 glandes sébacées
12 mètres de nerfs
9 000 terminaisons nerveuses
6 capteurs de froid
36 capteurs de chaud
75 capteurs de pression

Points sensibles

Notre peau n'a pas partout le même degré de sensibilité. Certaines régions sont plus riches en terminaisons nerveuses que d'autres. Voilà comment repérer les endroits où se trouvent les points sensibles. Faites l'expérience suivante avec un ami, vous serez surpris du résultat.
• *Découpez un rectangle de carton de 30 cm x 75 cm. Tracez une ligne verticale,*

et graduez-la comme sur le schéma. Gra-
duation (de bas en haut) : 60 cm 45 cm
30 cm 21 cm 15 cm 7,5 cm 3,5 cm.
• Plantez un clou à chaque extrémité du
carton.
• Placez le carton sur l'avant-bras de votre
copain en appuyant très doucement. Puis
déplacez le clou à partir du bas en remon-
tant progressivement toutes les gradua-
tions jusqu'à ce que votre ami ne ressente
plus qu'un seul point sensible.
• Dessinez un tableau dans lequel vous
rapporterez vos résultats. Où sont situés
les points les plus sensibles ?

Cas particuliers

La **chair de poule** est un des strata-
gèmes de l'organisme pour maintenir
notre température interne stable. En
effet, notre corps sait très bien que pour
garder la chaleur, rien ne vaut une couverture d'air. (C'est le même principe que
celui des bouteilles Thermos.) Quand il
fait froid, tous les poils se redressent et
captent une couche d'air protectrice à la
surface de la peau. Ceci est particulièrement vrai pour les animaux à plumes ou
à fourrure très fournis comme les oiseaux
ou les ours. Mais les humains n'ont pas

un pelage si épais, aussi la chair de poule constitue-t-elle leur principale défense contre le froid.

Les **frissons** sont une autre façon de se réchauffer. En effet, ils provoquent des contradictions musculaires qui dégagent de la chaleur. Quand il fait froid, il suffit parfois de faire le tour du pâté de maisons en courant. Mais si l'on ne peut pas courir, on se met automatiquement à frissonner. Du coup, nos muscles se contractent puis se relâchent sans arrêt sur toute la surface du corps jusqu'à ce que nous ayons à nouveau bien chaud.

Poils et cheveux

Comparés à ceux d'autres mammifères, nos poils sont franchement ridicules ! Pourtant, notre maigre toison nous est très utile.

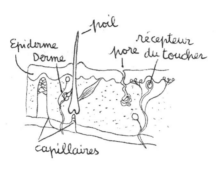

Les cheveux ont avant tout une fonction isolante. C'est sur le crâne que nous en avons le plus, parce que la tête est une des parties du corps les plus exposées. Elle abrite le cerveau qui est très fragile, et doit être protégé des rayons solaires. D'ailleurs, on constate que dans les régions du globe où il fait très chaud, les gens sont pourvus d'une épaisse chevelure qui fait un écran au soleil.

Les poils ont eux aussi un rôle protecteur. Implantés en plus grand nombre autour des orifices du corps, et particulièrement

chez les mâles, ils empêchent toutes
sortes de débris et de poussières de pénétrer à l'intérieur des yeux, des oreilles, du
nez et de la bouche.

Les poils sont également un nid à
odeurs. Surtout au niveau des aisselles et
de l'entrejambe. (C'est difficile à accepter
à une époque où les gens voudraient toujours sentir bon et dépensent des sommes
folles en parfums ou en déodorants !...)
Pourtant, il y a des savants qui pensent
qu'autrefois, et peut-être même encore
aujourd'hui, ces odeurs corporelles agis-
saient comme des signaux et qu'elles
jouaient un rôle très important.

Les poils sont aussi des capteurs sensitifs. Chacun d'entre eux est relié à un nerf,
et prolonge ainsi notre toucher bien au-
delà des limites de notre peau. Ce « système d'alarme » peut par exemple être très
utile pour détecter des insectes qui rôdent.

La pilosité

L'implantation des poils chez les mammifères est assez intéressante à observer. La surface de peau nue est plus importante chez les humains que chez n'importe quel animal, mais cette vulnérabilité est en partie compensée par le bronzage.

La couleur de la peau

Notre peau est particulièrement sensible à certains rayons solaires que l'on appelle les ultraviolets. Ce sont justement ces rayons-là qui brûlent et contre lesquels il faut se protéger en appliquant des crèmes solaires. Mais nous avons aussi notre propre système de défense contre les effets cuisants des ultraviolets ; c'est le bronzage.

Quand la peau est exposée au soleil, elle fabrique son propre écran protecteur que l'on appelle la **mélanine**. C'est cette substance qui fait bronzer. Mais il ne faut jamais oublier qu'un bain de soleil, c'est un bain de radiations ; si votre peau n'a pas encore eu l'occasion de fabriquer de la mélanine, soyez prudent durant les premiers jours des vacances. Sinon, c'est la mort assurée de plusieurs milliers de cellules.

Si nous n'avons pas tous la même couleur de peau, ce n'est pas un hasard. Les gens qui vivent près de l'équateur sont exposés à un rayonnement solaire plus intense et plus constant, et leur peau s'y est adaptée en produisant beaucoup de mélanine. Ainsi, les habitants d'Amérique centrale, d'Australie ou d'Afrique ont tous la carnation foncée des habitants des pays chauds.

Les « visages pâles », en revanche, sont originaires de contrées où l'ensoleillement est plus faible. Ces gens-là n'ont que très peu de protection naturelle contre les ultraviolets, car, plus le soleil est rare, plus leur peau a intérêt à être claire pour mieux pouvoir absorber certains éléments bienfaisants du soleil tels que la vitamine D.

En français, la couleur chair se définit par une teinte légèrement rosée, proche de celle de notre peau. Mais n'oubliez pas que, pour un Africain, cette couleur chair n'est pas la même que pour nous !

Des cheveux et des chiffres

Incroyable mais vrai : chaque jour notre chevelure pousse de 3 mètres ! Explication : nous avons tous en moyenne 100 000 poils sur le caillou qui poussent chacun de 0,03 millimètre par jour. Si vous ne le croyez pas, faites le calcul...

— Chaque cheveu vit entre 2 et 4 ans.

— Un cil vit environ 150 jours.

— Une chevelure, c'est un peu comme une forêt : pour chaque cheveu qui tombe, il y en a un autre qui repousse. Cela évite de se retrouver chauve quand on perd beaucoup de vieux cheveux à la fois.

— Les cheveux et les poils ont une implantation bien précise. Ils poussent par paquets, en suivant un dessin semblable à des écailles de poissons.

— Avez-vous déjà été effrayé au point d'en avoir les cheveux qui frisent ? Cela peut arriver si on est déjà frisé au départ. Sous le coup d'une très grosse peur, l'organisme se met parfois à transpirer. Or, des cheveux naturellement bouclés frisent encore davantage quand ils sont mouillés.

Les ongles

Les ongles sont la version humaine des griffes d'animaux. Certes, il n'ont peut-être pas la magnificence des serres de l'aigle, mais ils sont tout de même bien pratiques pour ramasser des pièces de monnaie ou pour jouer de la guitare.

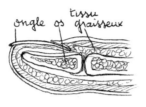

Les ongles servent aussi de « casques » pour nos doigts et nos orteils qui sont des articulations très exposées, donc fragiles.

Les ongles sont constitués de longues couches dures de **kératine**, une molécule de protéine que l'on retrouve sous une forme différente dans les cheveux.

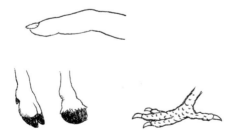

2. Les os et le squelette, structure de notre corps

Tous les animaux n'ont pas nécessairement des os.

Ainsi, les vers de terre en sont dépourvus et vivent pourtant très bien leur vie de vers de terre.

Certains animaux, comme les crabes, ont une carapace. C'est une sorte d'ossature qu'ils portent à l'extérieur.

Nous autres humains avons un squelette qui se trouve à l'intérieur de notre corps. On pourrait tout à fait l'imaginer comme un être sans chair.

Les os

Les os sont vivants. Comme d'autres organes, ils puisent leur nourriture dans le sang pour grandir et se régénérer. Ils participent aussi à toutes les fonctions vitales, mais à un rythme plus lent que d'autres tissus de notre organisme.

Dans un os, il y a :
— 30 % de tissu vivant comprenant des cellules et des vaisseaux sanguins.
— 45 % de dépôts minéraux, pour la plupart des phosphates de calcium. Ils recouvrent l'os de plusieurs couches de petits cristaux et lui donnent sa dureté.
— 25 % d'eau.

Dureté de l'os

Compte tenu de son faible poids, c'est fou ce qu'un os peut être résistant ! Il peut supporter jusqu'à 36 000 kilos par centimètre carré ! À chaque pas que fait une personne de taille moyenne, chaque centimètre carré de son fémur supporte un poids d'environ 18 000 kilos...

Examinons un os du fémur : sa forme

longue et mince est idéale pour marcher longtemps, d'autant plus qu'il est creux, et par conséquent léger.

La nature lui a donné cette forme cylindrique qui est l'une des formes les plus résistantes qui soient, et les nombreuses couches de dépôts minéraux extrêmement durs qui le recouvrent renforcent encore sa solidité.

L'extrémité du fémur est un peu plus large, et spongieuse à l'intérieur, de façon à amortir les chocs.

Décidément, la nature est bien faite ! Il faut dire qu'elle a eu quelques millions d'années pour se perfectionner. En fait, notre morphologie s'adapte à notre mode de vie. Ainsi, les athlètes ont tendance à faire supporter plus de poids à leurs muscles et à leurs os, si bien que ceux-ci s'élargissent aux endroits les plus sollicités.

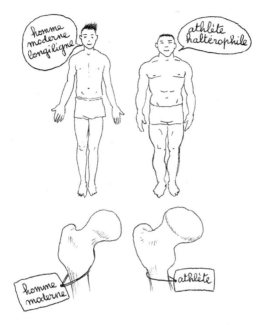

La formation de l'os

Les os des nouveau-nés sont beaucoup plus mous et plus souples que les nôtres. Ils sont faits d'une matière caoutchouteuse appelée **cartilage**. Le bout de notre nez est également en cartilage. Si vous appuyez dessus pour le faire tourner, vous aurez une idée de la consistance de vos os avant qu'ils ne durcissent.

Peu de temps après votre naissance, vos os commencent donc à se solidifier en se recouvrant de couches de minéraux que l'on appelle phosphates de calcium et que l'organisme puise principalement dans le lait. Le calcium se dépose d'abord au centre de l'os, et s'étend progressivement sur toute sa longueur. C'est le processus de **calcification**.

À mesure que vous grandissez, une partie du calcium qui se trouve à l'intérieur des os longs et creux se dissout pour réapparaître ensuite sur la partie externe. Cette forme creuse les allège, et elle leur permet d'abriter la moelle osseuse qui produit les cellules du sang.

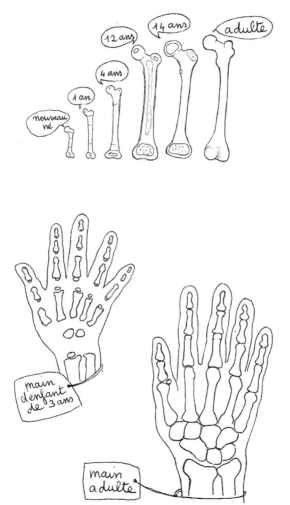

nouveau né

1 an

4 ans

12 ans

14 ans

adulte

main d'enfant de 3 ans

main adulte

41

Progressivement, la couche de calcium va se stabiliser et fermer l'os qui ne pourra plus grandir. La clavicule est le dernier os à terminer sa croissance entre dix-huit et vingt-cinq ans.

Faire un nœud avec un os

On peut très bien faire un nœud avec un os ; pour cela, il suffit de le débarrasser de ses sels minéraux jusqu'à ce qu'il ne reste plus que du cartilage. Pour cela, il vous faut un peu d'acide, ainsi que l'aide d'un adulte.

> *Attention, l'acide peut occasionner de graves brûlures. Demandez à un adulte de le manipuler avec vous.*

• *Achetez de l'acide chlor-rhydrique à 6 % dans une droguerie, et procurez-vous également quelques os de poulet.*

• *Versez l'acide sur les os de poulet. Laissez-les mariner toute une nuit.*

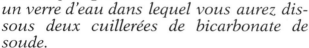

et voilà un nœud papillon !

• *Enfilez une paire de gants, retirez les os de ce bain et, pour neutraliser l'acide, plongez-les dans un verre d'eau dans lequel vous aurez dissous deux cuillerées de bicarbonate de soude.*

• *Si les os de poulet sont trop courts pour faire un nœud, utilisez plutôt des os de dinde.*

Incroyable mais vrai !

— Si le squelette d'un être humain a 300 os à la naissance, il ne lui en reste plus que 206 à l'âge adulte, car une partie d'entre eux ont fusionné pendant la croissance.

— Nos pieds et nos mains contiennent à eux seuls la moitié des os de notre squelette.

— Une personne sur vingt possède une côte supplémentaire. Ce cas est trois fois plus fréquent chez l'homme que chez la femme.

— Les personnes âgées ont souvent une colonne vertébrale légèrement courbée. Cette courbure s'amorce vers la droite pour les droitiers, vers la gauche pour les gauchers.

Différents types d'os

Il n'y a pas que le fémur qui soit si bien conçu. Nous avons plus de 200 autres os dont la forme est tout aussi bien adaptée à la place qu'ils occupent.

Il y en a qui ont des formes franchement bizarres. On peut les classer en quatre catégories :

• Les os longs sont ceux qui sont minces et creux avec des extrémités renflées. Ils sont aussi légèrement recourbés, de façon à supporter plus de poids. Ce sont les os des jambes, des bras ou des doigts.

• Puis il y a les os courts, plus larges et

plus épais, que l'on trouve dans les pieds et dans les poignets.

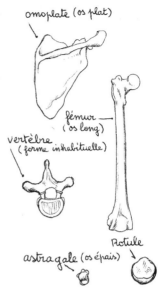

omoplate (os plat)

fémur (os long)

vertèbre (forme inhabituelle)

Rotule

astragale (os épais)

• Il y a aussi les os plats comme ceux des côtes ou des omoplates.

• Enfin il y a ceux qui ont une forme plus inhabituelle et qui constituent une catégorie à part, comme les vertèbres qui forment notre colonne vertébrale, ou les tout petits os à l'intérieur de l'oreille.

Si ça vous intéresse, rendez-vous à l'hôpital le plus proche pour y récupérer des vieux clichés de radiographies ; et si un jour vous vous fracturez un os, demandez à votre médecin de vous donner les radios.

Les articulations

Nous pouvons nous pencher, pivoter sur nous-mêmes, nous étirer, agripper, etc. Pour pouvoir accomplir des mouvements aussi variés, il faut que nos os soient reliés entre eux par différents types d'articulations.

Celles-ci sont comparables à certaines jointures utilisées en mécanique, sauf le poignet et la cheville qui n'ont pas d'équivalents.

Points de repère

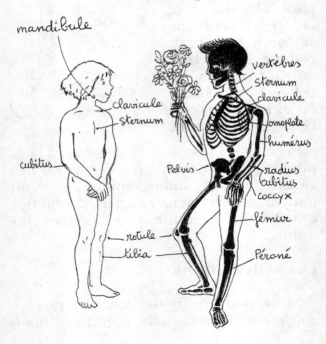

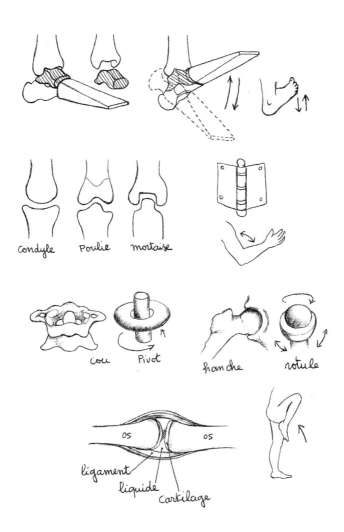

condyle   poulie   mortaise

cou   Pivot

hanche   rotule

os   os

ligament

liquide

cartilage

Même enfouis sous plusieurs couches de graisse et de muscles, les os restent malgré tout visibles à différents endroits du corps. Les anatomistes (des gens qui étudient le corps humain) appellent cela des points de repère. Regardez bien le schéma de la page 46, et vérifiez ensuite s'il correspond à vos propres repères articulaires.

Disséquer

Disséquer, ce n'est pas forcément découper des matières vivantes ou semi-vivantes au milieu d'une mare de sang ! Avant d'avoir recours au scalpel, essayez de détacher les chairs délicates avec une sonde*. La dissection est une tâche minutieuse qui requiert beaucoup d'adresse. Vous pouvez acheter les instruments adéquats chez un fournisseur de matériel médical ou en fabriquer vous-même à partir d'objets usuels.

— *Si vous ne trouvez pas de vrai scalpel, procurez-vous un cutter à lames interchangeables dans une papeterie ou une lame de rasoir à un seul côté tranchant. Recouvrez-la partiellement de ruban adhésif pour pouvoir la tenir sans vous couper*

* Instrument rigide ou flexible, cylindrique, utilisé en médecine.

— une aiguille à disséquer. Vous pouvez aussi utiliser une pointe-sèche que vous trouverez chez les fournisseurs d'écoles de beaux-arts au rayon sculpture ou encore une grosse aiguille fixée à un bâtonnet avec du Scotch

— des sondes pour explorer et séparer les membranes

— une pince à épiler

— des épingles pour fixer les instruments sur le plateau

— un plateau à dissection. Gardez les barquettes en polystyrène dans lesquelles on vend la viande dans les supermarchés.

— des ciseaux. Ceux que l'on trouve dans les trousses à manucure sont plus faciles à manier.

— une loupe

L'intérieur d'un os long

Demandez à votre boucher de vous mettre quelques os à moelle de côté. L'idéal serait un os de forme cylindrique, par exemple le tibia. Faites-le couper dans le sens de la longueur afin de pouvoir examiner l'intérieur. Si vous voulez disséquer une articulation, procurez-vous un os de jarret de bœuf encore recouvert d'un peu de chair. Si vous comptez remettre votre expérience à plus tard, vous pouvez congeler l'os.

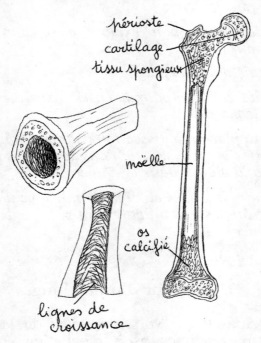

périoste
cartilage
tissu spongieux
moëlle
os calcifié
lignes de croissance

• *Examinez d'abord l'extrémité de l'os, et repérez les parties principales. Sur la face externe, vous trouverez peut-être des bouts de muscles ou de tendons arrachés.*

• *Séparez les deux moitiés, et observez l'in-térieur de la cavité remplie de moelle. (C'est là que sont fabriqués les globules rouges.)*

• *Arrachez la membrane qui recouvre l'os. Si celui-ci est frais, vous verrez des petits points rouges : ce sont les vaisseaux san-guins qui le traversent.*
La surface est recouverte de petits trous. Quand l'os se fracture, il se régénère et repousse aussitôt.

• *Grattez soigneusement l'intérieur de l'os pour en retirer la moelle. Puis faites-le bouillir afin qu'il soit parfaitement propre. Vous verrez alors des lignes croisées qui témoignent de sa croissance.*

L'évolution du corps

Les êtres humains appartiènnent à une catégorie du règne animal appelée les **vertébrés**. Seuls les êtres vivants dotés d'une colonne vertébrale en font partie. Ce club très minoritaire comprend les poissons, les oiseaux, les batraciens et les mammifères. Mais la plupart des ani-maux sont classés dans d'autres catégo-ries que l'on appelle non sans un certain mépris les « invertébrés ».

Les tout premiers vertébrés apparurent dans les mers anciennes il y a environ 300 millions d'années. En soutenant leur musculature, cette colonne d'os leur donnait ainsi l'avantage sur les autres poissons en leur permettant de nager plus vite.

En l'espace de plusieurs millions d'années, leurs corps se sont peu à peu transformés et adaptés à leur environnement. On appelle ces changements, opérés sur plusieurs générations, « évolution de l'espèce ».

Voici comment les scientifiques ont retracé l'évolution des vertébrés, du poisson pourvu d'arêtes jusqu'au mammifère bipède :

poisson à arêtes : *les nageoires se sont transformées en pattes pour s'adapter à la terre ferme*

amphibien : vraies pattes permettant de rentrer et de sortir de l'eau ; poumons pour inspirer l'air

lézard : peau résistante pour climat sec ; quatre pattes adaptées à la marche

insectivore : animal à sang chaud ; fourrure qui garde la chaleur

lémurien : membres plus longs propices aux déplacements rapides ; yeux situés de face

primate simien et hominien : ils ont beaucoup de points communs. Le fait de se tenir debout permet d'utiliser les mains ; posture du bipède.

Primates

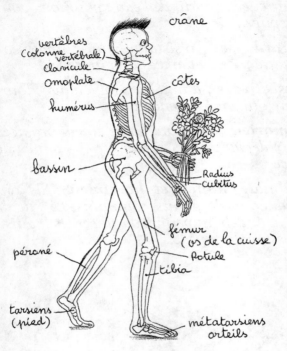

crâne

vertèbres
(colonne
vertébrale)

clavicule

omoplate

côtes

humérus

Radius
cubitus

bassin

fémur
(os de la cuisse)

rotule

péroné

tibia

tarsiens
(pied)

métatarsiens
orteils

Certains vertébrés, les primates, ont poussé encore plus loin le développement de leur morphologie. Voici ce qui les caractérise :

— Doigts et orteils de forme allongée, avec ongles plats.
— Pouces opposables.

— Yeux implantés de face, permettant une vue en trois dimensions.

— Cerveau plus important en taille, protégé par une boîte crânienne.

— Faculté propre aux humains de marcher sur deux jambes.

Les spécialistes de l'évolution pensent que ces changements sont une suite de conséquences logiques. Les primates auraient ainsi acquis des pouces opposables et la vision en trois dimensions à force de se balancer dans les arbres. Puis, en abandonnant petit à petit la position accroupie pour se tenir sur deux pattes, leurs mains seraient alors devenues disponibles pour toutes sortes d'activités. Quant à leur cerveau, il s'est probablement mis à grossir lorsqu'ils commencèrent à coordonner leurs mouvements et à mettre en pratique leur nouveau savoir.

Mais ce n'est pas parce que nous sommes bipèdes qu'il faut toiser les autres vertébrés du haut de notre stature verticale ! D'ailleurs, notre dos ne s'est toujours pas vraiment habitué à cette nouvelle position, et si parfois il est endolori, c'est pour nous rappeler que nous étions plus à l'aise à quatre pattes !

Test de rétrécissement

Saviez-vous que vous ne mesurez pas la même taille tout au long de la journée ? Si vous avez du mal à le croire, faites le test suivant, vérifiez si vos amis et les gens de votre famille rapetissent autant que vous.

- *Mesurez-vous le matin, au saut du lit.*
- *Mesurez-vous à nouveau plus tard dans la journée. Remarquez-vous une différence ?*

• *En combien de temps rapetisse-t-on ?*
• *Est-ce que les grands se tassent plus que les petits ?*
• *Est-ce que les personnes âgées se tassent davantage que les jeunes ?*

Notre colonne vertébrale est formée de toute une série de petits os, les vertèbres, et entre lesquels sont coincés des disques en cartilage qui font office de coussinets. Le fait de se tenir debout comprime et expulse le liquide qui s'accumule la nuit entre ces disques.

Morphologie de base des vertébrés

Il y a des gens qui ne croient pas à la théorie de l'évolution de l'espèce. Ils ont peut-être leurs raisons. N'empêche que les humains et les crapauds cornus ont pas mal de points communs. En faisant un peu d'anatomie comparative, on constate en effet que notre corps et celui du crapaud ont grosso modo la même structure :

— Ils ont tous les deux un tronc bâti autour d'une colonne vertébrale qui descend jusqu'en bas du dos.

— Ils ont quatre membres. (Ceci est vrai

pour tous les vertébrés, y compris les baleines et les escargots qui en ont gardé des traces.)

— Tous les deux sont bilatéralement symétriques. Cela veut dire qu'en traçant une ligne médiane divisant le corps de haut en bas, on obtient deux parties absolument identiques, chacune étant l'image opposée de l'autre.

Que serions-nous sans pouces ?

Ça tombe sous le sens : la façon dont on est plus ou moins bien « équipés » physiquement détermine notre mode de vie. Pas mal de choses dépendent en fait du corps que nous habitons.

• *Demandez à quelqu'un de scotcher vos deux pouces contre la paume de la main, tout en laissant les autres doigts libres de leurs mouvements.*

• *Restez une heure entière sans vous servir de vos pouces, tout en vaquant à vos activités habituelles. Si vous tenez le coup, essayez de poursuivre l'expérience toute une journée. Reportez ensuite vos observations dans un tableau.*

Quelles sont vos conclusions ? Avez-vous une idée plus précise du type d'activités que peuvent avoir des créatures privées de pouces ?

3. Les dents : Canines, incisives et molaires

Avant d'avoir des dents, les bêtes ne pouvaient manger que des aliments adaptés à la taille de leur gueule. Mais lorsque les dents se sont mises à pousser, même des animaux petits ont pu ingurgiter de plus grosses quantités de nourriture.

Les toutes premières dents apparurent chez les poissons ancêtres des requins. Ce n'étaient alors que des écailles un peu plus sophistiquées. Elles étaient pointues, et toutes identiques. Aujourd'hui, les requins sont dotés de quatre rangées de dents. Lorsque la première rangée commence à être usée, la deuxième avance pour la remplacer.

Depuis ces temps anciens, tous les animaux ont développé une dentition adaptée à leur mode de vie.

Avez-vous déjà entendu dire que nous étions ce que nous mangeons ? Cette expression est particulièrement vraie si on l'applique à l'intérieur de notre bouche.

Carnivore, herbivore ou omnivore ?

Pour en savoir plus sur l'alimentation d'un animal, il suffit d'observer l'intérieur de sa gueule, et plus particulièrement ses dents.

Une bête qui mange de la viande aura beaucoup de dents pointues pour couper et déchiqueter. Ce type d'animal est un **carnivore**.

En revanche, les bêtes qui se nourrissent d'herbe et de feuilles auront surtout des dents plates pour broyer. On les appelle des **herbivores**.

Les animaux qui mangent de la viande et de l'herbe possèdent ces deux types de dents à la fois. Ce sont des **omnivores**.

Moulage

Vous pouvez examiner vos dents, en vous aidant d'un miroir, ou faire un moulage de votre dentition avec du plâtre. C'est très rigolo, et le résultat est vraiment spectaculaire !

Il faut de la pâte à modeler, du papier, du Scotch, un gobelet en carton et du plâtre à moulage.

• *Pétrissez dans la pâte à modeler un demi-cercle aux dimensions de votre bouche.*

• *Mordez dedans et appuyez la pâte contre les dents du haut de façon que le moulage prenne bien. Puis, ôtez-le doucement. Répétez l'opération avec les dents du bas.*

• *Scotchez tout le tour du moulage.*

• *Remplissez aux trois quarts un gobelet en carton de plâtre à moulage. Mélangez-le* avec suffisamment de liquide pour en faire une pâte épaisse et crémeuse.

• Versez cette préparation dans les moules en les remuant légèrement de façon que tous les recoins soient bien remplis. Puis, oubliez-les pendant au moins une heure.

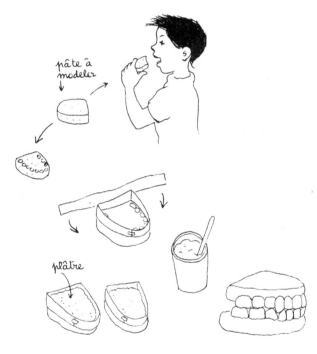

pâte à modeler

plâtre

• Une fois que le plâtre est sec, retirez délicatement la pâte à modeler.

Quelles dents pour quels aliments ?

Pourquoi avons-nous autant de dents différentes dans la bouche ? L'expérience suivante vous donnera peut-être la réponse.

Rassemblez plusieurs types d'aliments (cacahuètes bananes steak haché noix céleri pomme fromage carottes).

Mordez dans chacun d'eux en mâchant très lentement, et observez la façon dont vos dents les traitent.

Dents de lait et dents d'adulte

Votre dentition ne ressemble peut-être pas à celle du moulage de la page précédente. C'est sans doute parce que vous avez encore vos dents de lait.

Les êtres humains renouvellent toutes leurs dents une fois dans leur vie. La première série s'adapte à la taille de leur bouche d'enfant. Puis, à mesure que leur mâchoire s'élargit, ils perdent leurs dents de lait les unes après les autres. Elles seront remplacées par de plus grosses dents qui cette fois ne tomberont plus, et qui s'ajusteront à leur mâchoire d'adulte. Les dents sont recouvertes d'émail dur.

Comme cette enveloppe n'est pas un tissu vivant, elles les empêche de pousser une fois qu'elles ont atteint leur taille définitive.

On dit aussi des dents de lait qu'elles sont **caduques**, comme les arbres qui perdent leurs feuilles en automne. « Caduque » signifie qui tombe.

Ouvrons grand la bouche

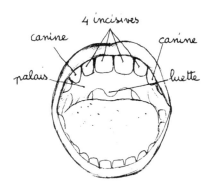

Les dents de devant sont plates et coupantes ; on les appelle les **incisives**, car elles agissent comme les lames d'une paire de ciseaux. Quand elles s'ouvrent et se referment sur un aliment, elles le coupent en petits morceaux.

Un peu plus loin, à l'angle de la mâchoire, se trouvent les **canines**. On les appelle ainsi parce qu'elles ressemblent aux crocs des chiens. Si vous avez déjà raclé de la viande sur un os avec vos dents, vous comprendrez d'où leur vient ce nom.

Derrière les canines, il y a les **bicuspides** (ça veut dire « à deux pointes ») appelées plus communément les **prémolaires**. Enfin tout au fond se trouvent les **molaires**. Ce terme signifie « pierre meulière ». Les molaires et les prémolaires servent à broyer les aliments.

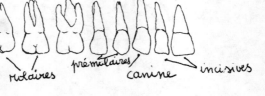

Dissection d'une dent

Voici une expérience que vous pouvez faire avec une ancienne dent de lait, en supposant que la petite souris ne l'ait pas emportée...

• *Enveloppez une de vos dents de lait dans un linge, et tapez doucement dessus avec un marteau pour la casser.*

• *Ouvrez-la, et essayer d'en identifier les différentes parties.*

L'intérieur d'une dent

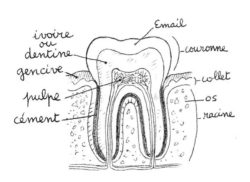

Quand on demande aux gens quelle partie de leur corps est d'après eux la plus dure, ils répondent invariablement les « os ». Eh bien ils se trompent, car les dents sont plus solides que les os ; et si ces deux matières ont en effet quelques points de ressemblance, elles sont pourtant très différentes l'une de l'autre.

L'intérieur de la dent s'appelle la pulpe. Celle-ci est vivante, et on y trouve des nerfs et des vaisseaux sanguins comme à l'intérieur d'un os.

La couche qui recouvre la pulpe, c'est la **dentine**, qui ressemble à de l'os, mais en plus dur. Ainsi, les touches de piano fabriquées autrefois avec des défenses d'éléphant étaient en dentine presque pure.

Enfin, la dernière couche est en **émail**, constitué à 98 % de matières minérales. De par sa dureté et sa structure, l'émail ressemble à de la roche. C'est une matière morte qui ne peut pas se reconstituer si elle est endommagée.

Le **cément** est le revêtement de la racine de la dent. Il sert à consolider la dent au niveau de son implantation dans l'os de la mâchoire.

Cavité ou trou

L'émail des dents est très solide, mais pas indestructible. Son plus grand ennemi est l'acide, qui attaque en rongeant. Beaucoup de gens ont des caries, et ne mangent pourtant pas d'acide pur. Comment celui-ci parvient-il à pénétrer dans notre bouche ?

Les bactéries sont des micro-créatures

qui pullulent sous diverses formes à l'intérieur de la bouche. En fait, la bouche est l'endroit le plus contaminé de notre corps. Voyons un peu pourquoi.

Certaines bactéries se nourrissent des mêmes choses que nous. Elles adorent le pain, les bonbons et les spaghettis. C'est pour cela qu'elles s'installent dans la bouche. Ensuite, elles décomposent les aliments en minuscules parcelles tout en produisant de l'acide. Celui-ci attaque l'émail des dents en y creusant des trous qui atteignent la partie vivante de la dent et provoquent l'infection.

Attention, acide

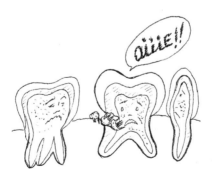

Chimiquement, la coquille d'œuf ressemble beaucoup aux dents, et réagit de la même manière à l'acide. Amusez-vous à faire les tests suivants.

• *Laissez un œuf tremper toute une nuit dans de l'acide.*
Retirez l'œuf.

• *Laissez tomber une dent dans votre limonade préférée, et collez ensuite sur la bouteille une étiquette datée du jour de l'expérience.*

Retirez la dent de la bouteille, examinez-la puis replongez-la dans la limonade. Recommencez trois jours plus tard.

Contre-attaque

Vous est-il déjà arrivé de ne pas vous brosser les dents pendant plusieurs jours ? Au bout d'un certain temps, on finit par sentir une sorte de pellicule grumeleuse quand on passe la langue dessus. C'est ce que l'on appelle la **plaque dentaire**.

Cette plaque est un mélange d'aliments, de salive et de bactéries. Autant dire qu'une dent recouverte de bactéries productrices d'acides affamés est une dent en danger !

Au début, la plaque dentaire est invisible. Si on ne fait rien pour qu'elle disparaisse, elle se transforme en une croûte jaunâtre, le **tartre**, déjà plus difficile à éliminer. Le dentiste peut le faire en grattant les dents.

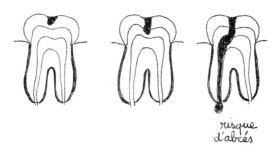

risque
d'abcés

Bref, il faut vraiment se brosser les dents régulièrement. En effet, le brossage dissout la plaque avant que les bactéries n'aient le temps d'attaquer l'émail, et que la plaque ne se transforme en tartre.

Alerte rouge

Il existe un moyen très simple de rendre la plaque dentaire visible. Il suffit d'acheter en pharmacie des comprimés spéciaux. Ils ne sont pas désagréables au goût, et colorent tout l'intérieur de la bouche en rouge. Les dentistes les utilisent pour repérer les dépôts de plaque dentaire ; demandez au vôtre de vous en donner si vous n'en trouvez pas en pharmacie.

Sucez un de ces comprimés pendant au moins 30 secondes avant de vous rincer la bouche.

Ça fait un drôle d'effet, n'est-ce pas ? Toutes ces tâches rouges, c'est de la plaque dentaire ! Cela correspond souvent aux endroits que la brosse à dents n'atteint pas. Alors allez-y, brossez-vous vite les dents !

Les règles d'or de l'hygiène dentaire

Il faut surtout éviter de garder des petits bouts d'aliments dans la bouche. Certains sont pires que les autres. Vous les connaissez, ce sont tous ces bonbons qui collent aux dents et aux doigts, et les produits à la fois acides et sucrés. Mais il existe aussi des aliments qui nettoient naturellement les dents.

Voici la liste des tueurs d'émail :
- Jus de fruit de synthèse
- Soda
- Bonbon
- Pain blanc
- Fruit sec (par exemple, les raisins secs)
- Chewing-gum
- Pâtes

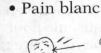

Et maintenant, la liste des aliments nettoyeurs de dents :

Carottes
Pommes
Cornichons
Prunes
Melons
Céleri
Tomates

Tout ce qui laisse à l'intérieur de la bouche une sensation de lisse et de propre est bon pour les dents !

4. Muscles et gros biceps

Quand on parle de sport, vous pensez immédiatement au revers de Jimmy Connors ou au jeu de jambes de Jean-Pierre Papin.

Les muscles sont responsables du moindre de nos mouvements. Non seulement ils nous permettent de faire des revers au tennis, mais ils maintiennent nos organes en place, font bouger notre langue, battre notre cœur et marcher nos poumons. C'est aussi grâce à eux que nous pouvons nous racler la gorge, et que les aliments s'acheminent dans nos intestins.

En créant le mouvement, les muscles produisent aussi une grande partie de notre chaleur interne.

La contraction du muscle

C'est fou tout ce qu'on peut faire avec son corps : se pencher, se courber, s'étirer, se contorsionner, mais aussi soulever, attraper, frapper, sauter, et un tas de choses encore.

Le plus incroyable, c'est que tous ces gestes ne résultent que d'une contraction musculaire ! En effet, le muscle n'est capable que d'un seul mouvement : soit il se contracte, et devient beaucoup plus court, soit il est relâché.

Mais cette simple contraction est beaucoup plus compliquée qu'elle n'y paraît. Des spécialistes ont passé des années à étudier la question. On sait maintenant que les nerfs, en transmettant au muscle un ordre du cerveau, déclenchent instantanément une réaction chimique qui elle-même provoque la contraction du muscle. Mais certains détails de ce processus échappent encore aux scientifiques, et beaucoup d'entre eux seraient prêts à sacrifier leurs biceps pour élucider ce mystère.

Les muscles font équipe

• *Contractez vos biceps, et vous les verrez gonfler comme ceux que les caïds de votre classe exhibent fièrement.*

• *Puis, relâchez l'effort tout en gardant la même position.*

• *Essayez maintenant de déplacer votre bras en n'utilisant que vos biceps.*

Si vous y êtes arrivé, c'est que vous avez

forcément triché, car un muscle ne sait rien faire d'autre que se contracter. En n'utilisant que vos biceps, vous réussirez à rapprocher votre avant-bras de votre épaule, mais vous ne pourrez en aucun cas le déplacer latéralement.

Pour cela, il faudrait un autre muscle qui se contracte en produisant un mouvement opposé. Ça tombe bien, vous en avez justement un prévu pour ça ! Soulevez l'avant-bras en l'éloignant de l'épaule, et essayez de ressentir où a lieu la contraction musculaire.

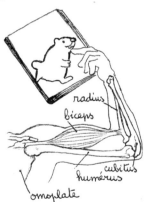

Tous les muscles du corps travaillent en équipe. Pour chacune de ces équipes, il en existe au moins une autre qui lui est opposée et qui correspond à un mouvement inverse. Cette opposition permet aussi d'avoir des gestes coordonnés : pendant que certains muscles se contractent pour amorcer un mouvement, ceux qui leur sont opposés agissent comme un frein.

Vous pouvez sentir quand vos muscles se contractent et se relâchent. Vérifiez-le sur vos doigts : en les faisant bouger, vous verrez quels groupes de muscles se mobilisent.

Devinette : *pourquoi n'avons-nous pas de muscles opposés sur le devant de nos mollets ?*

Intérieur d'un muscle

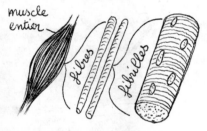

L'intérieur d'un muscle est constitué de fines cellules qui forment de longs rubans appelés **fibrilles**. Ces fibrilles se réunissent à leur tour en fibres. Enfin, plusieurs fibres rassemblées forment un groupe de muscles, comme les biceps.

Des muscles à la loupe

• *Procurez-vous un morceau de steak ou de poulet. N'importe quel muscle de viande crue fera l'affaire.*

• *Découpez un petit bout de viande.*

• *Sélectionnez un bout de fibre musculaire avec une aiguille à disséquer.*

• *Déposez-la sur une plaque de verre propre. Si vous voulez qu'elle soit plus visible, vous pouvez la teindre.*

Coloration : mélangez une goutte de colorant bleu dans une cuillère, puis ajoutez un peu d'alcool à 90°. Versez cette solution dans une bouteille.

• *Pressez une autre plaque de verre contre la première, et observez le tout à la lumière.*

• *Vous verrez mieux les fibres en les examinant à la loupe. Si celle-ci est assez puissante, vous pourrez même distinguer les fibrilles.*

Points de repère

Le corps humain possède plus de 600 groupes de muscles. Comme les os, certains sont légèrement saillants et se voient sous la surface de la peau. C'est ce qu'on appelle des points de repère. Vous pourrez tous les identifier sur le schéma de la page ci-contre.

sterno-cléido-mastoïdiens : ces muscles puissants permettent la rotation de la tête.

intercostaux : situés entre les côtes, ils nous permettent de respirer.

quadriceps : ils fortifient les genoux, et nous aident à grimper les escaliers.

grand fessier : c'est grâce à lui que nous pouvons serrer les fesses. Il nous permet aussi de tendre l'articulation de la hanche, et de nous tenir droit sur nos jambes.

jumeaux : muscles qui se tendent quand on se met sur la pointe des pieds.

triceps et biceps : fonctionnent ensemble pour baisser et soulever le bras.

deltoïdes : muscles de l'épaule qui soulèvent la partie supérieure du bras.

Trois différentes sortes de muscles

Nous avons trois différentes sortes de muscles. Ils représentent à eux tout seuls en volume environ la moitié de notre corps.

Les muscles squelettiques (ou muscles striés) sont ceux qui font bouger les os, par exemple les biceps. Mais ils rendent

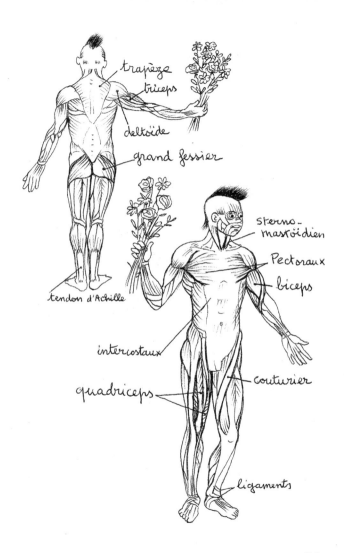

trapèze

triceps

deltoïde

grand fessier

tendon d'Achille

sterno-mastoïdien

Pectoraux

biceps

intercostaux

couturier

quadriceps

ligaments

81

aussi mobiles d'autres parties du corps. Ainsi, les muscles des yeux sont constitués de fibres tendues côte à côte. Ce sont des muscles volontaires, c'est-à-dire qu'ils sont commandés par le cerveau.

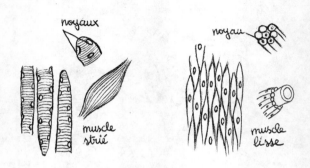

noyaux

muscle strié

noyau

muscle lisse

Un muscle lisse a une constitution légèrement différente. Il fonctionne automatiquement, à un rythme plus lent et plus régulier qu'un muscle squelettique. Il assure tous les mouvements internes du corps. C'est lui, par exemple, qui donne l'impulsion de la digestion, ou fait circuler le sang dans les vaisseaux sanguins.

Enfin on appelle muscle cardiaque l'ensemble des muscles très puissants du cœur.

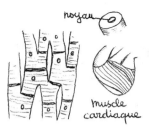

noyau

muscle cardiaque

Tout ou rien

Une fibre musculaire isolée peut être contractée ou relâchée, mais elle ne peut en aucun cas être les deux à la fois.

C'est un peu comme une lampe : elle est soit allumée soit éteinte, mais elle ne peut pas être « à moitié » allumée.

En ce qui concerne les muscles, c'est un peu différent. Il vous faudra faire un plus gros effort musculaire pour soulever un sac en plastique rempli de provisions que pour porter un verre de lait à vos lèvres.

N'oublions pas que ce que l'on appelle un muscle est en réalité une masse de fibres musculaires. Pour soulever un verre de lait, nous ne contractons qu'une partie de ces fibres. Mais pour soulever des objets plus lourds comme une bicyclette ou une marmite de pot-au-feu, toutes les fibres musculaires sont mobilisées.

Lorsqu'il faut faire un effort soutenu, les fibres musculaires alternent contraction et relâchement. Aucune d'elles ne peut rester contractée plus d'une fraction de seconde. Pour tenir plus longtemps, les différentes fibres d'un muscle se relaient et se contractent à tour de rôle.

Tonicité musculaire

En fait, les muscles sont toujours légèrement contractés. Ils s'entraînent pour rester en condition et être prêts à l'action. Cet état de permanente contraction s'appelle la tonicité musculaire.

Les gens nerveux ont une meilleure tonicité que les flegmatiques : leurs muscles sont tout le temps sur le qui-vive, prêts à réagir au quart de tour. Mais ça ne veut pas dire non plus qu'une personne calme n'a aucune tonicité musculaire. Finalement, il n'y a que pendant le sommeil que nos muscles se relâchent presque complètement et peuvent se reposer.

La danse de l'épingle à cheveux

Grâce à l'expérience suivante, vous verrez que d'infimes contractions du bras suffisent pour provoquer un mouvement bien visible.

Pour cela, il vous faut un couteau de cuisine et une épingle à cheveux. Si vous n'en avez pas, vous pouvez aussi utiliser un bout de fil de fer recourbé.

• *Posez l'épingle en équilibre au bout de la lame du couteau.*

• *Efforcez-vous de ne pas bouger votre bras. L'épingle doit à peine toucher la table.*

• *Faites d'abord cet exercice avec la main droite, puis avec la main gauche.*

• *Répétez-le une dizaine de fois.*

• *Que constatez-vous au niveau de vos muscles ?*

La fatigue musculaire

Si vous parcourez une grande distance au pas de course, vous aurez, au bout d'un certain temps, l'impression d'avoir du coton dans les jambes. En effet, nos muscles se mobilisent facilement jusqu'à ce que la fatigue nous oblige à les relâcher. Le tout est de savoir quand ils atteignent ce seuil de fatigue.

Une fibre musculaire peut se contracter plusieurs fois en une seconde. Mais plus elle est sollicitée, plus elle brûle rapidement ses réserves d'énergie. Dans ce cas, le sang lui fournit un supplément d'apports nutritifs et d'oxygène. Votre cœur se met alors à battre plus vite, et votre respiration devient saccadée de façon à emmagasiner un maximum d'oxygène en un minimum de temps. Si cela ne suffit pas, votre corps va fournir un tout petit peu d'énergie musculaire sans brûler d'oxygène. Ce complément n'est pas énorme, mais c'est peut-être lui qui vous sauvera la vie le jour où vous serez poursuivi par un troupeau de bisons !

Malheureusement, tout se paie. Lorsque le corps doit redoubler d'énergie sans s'oxygéner, il produit en même temps une substance appelée acide lactique qui s'accumule dans les muscles. Ceux-ci n'aiment pas beaucoup cet acide, car il rend l'effort de plus en plus dur. Très vite, ils espacent leurs contractions, et, épuisés, refusent de travailler jusqu'à ce qu'on leur accorde un moment de répit. C'est ce qui se passe quand vous ne pouvez plus faire autrement que de poser une valise trop lourde, ou de vous arrêter au bout de trois kilomètres de footing. Quand on fait travailler ses muscles jusqu'à l'épuisement, on prend largement dans les réserves d'oxygène. L'organisme exige alors qu'on lui rende son dû.

Pour se débarrasser de l'acide lactique accumulé dans les muscles, le corps doit se réapprovisionner en oxygène. C'est pour cela que, même après l'effort, vous continuez à être essoufflé et à avoir le cœur qui bat la chamade jusqu'à ce que vos réserves d'oxygène se soient reconstituées.

Le système de levier

Vous pouvez très bien jouer à la bascule avec un copain moins lourd que vous. Il suffit que chacun ajuste la distance qui le sépare du pivot. La balançoire fait office de levier. De même, quand vous balayez et que vous ramassez la saleté avec une pelle, la main qui tient la pelle reste immobile, et l'autre fait glisser les saletés avec la balayette. Dans ce cas, c'est la pelle qui est le point d'appui. Grâce à ce système, on peut déplacer un gros poids avec très peu de force, ou bien aussi déplacer un poids difficilement accessible.

— *Sur une balançoire, deux enfants de poids différents n'ont pas de problème d'équilibre, car le système de levier transforme la distance en force.*

— *Pour soulever un livre de 500 g, il faut une force de 3,5 kg dans le bras.*

— *Pour passer de la position accroupie à la position debout, il faut que les cuisses développent une force de 5 kg pour 500 g de poids corporel.*

— *Pour soulever 25 kg le dos courbé, il faut développer une force de 400 kg dans les reins (ne jamais faire ce genre de mouvement sans plier les genoux).*

Les muscles auxquels on ne pense jamais

Des muscles dont on ne se sert jamais rétrécissent et perdent leurs facultés. Cela peut arriver en très peu de temps, il suffit de se casser une jambe pour le vérifier. Ils peuvent aussi **s'atrophier** progressivement sur plusieurs générations. Ainsi, les pingouins ont fini par perdre l'usage de leurs ailes.

Bien fait pour eux, dites-vous, ils n'avaient qu'à ne pas se servir de leurs ailes pour nager !

Et pourtant, nous aussi, nous avons des muscles pour faire bouger nos oreilles ; mais comme on ne s'en sert jamais, la plupart d'entre nous en avons perdu l'usage. Qui sait, peut-être que les oreilles de nos ancêtres préhistoriques frémissaient quand elles entendaient une bête féroce approcher...

Les grimaces

Maintenant que vous voulez absolument remuer vos oreilles, vous plissez le front, vous froncez les sourcils, vous écarquillez les yeux et vous serrez les mâchoires.

Seuls les humains savent faire de telles grimaces. La plupart des animaux sont incapables de faire bouger les traits de leur visage. D'ailleurs, avez-vous déjà vu un lion rigoler, ou un serpent esquisser un sourire ?

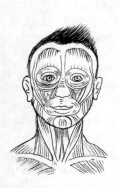
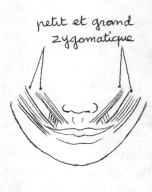

petit et grand zygomatique

Mais le visage des humains est parcouru d'une foule de petits muscles, les muscles faciaux, auxquels on ne fait pas tellement attention. Pourtant, ils nous permettent de communiquer et d'exprimer des sentiments. Par exemple, si votre père a les coins de la bouche qui tombent, cela peut vouloir dire qu'il a des soucis d'argent.

Gymnastique faciale

Voici quelques exercices destinés à faire travailler vos muscles faciaux. Ils sont rigolos à faire, et encore plus rigolos à regarder ! Apprendre à contrôler l'expression de son visage peut être utile si l'on a l'intention de faire une carrière d'acteur, ou si l'on veut tromper l'adversaire en jouant au poker.

Clignez d'un œil, puis de l'autre.

Dilatez, puis rétractez les narines.

Repoussez le cuir chevelu vers l'arrière.

Bougez les oreilles en arrière, puis vers le haut.

Ouvrez grand la bouche.

Allongez la lèvre supérieure vers le bas.

Étirez les coins de la bouche vers le haut, puis vers le bas.

Dissection d'un muscle, d'un tendon et d'une articulation

En découpant un poulet, on comprend mieux comment fonctionnent des groupes de muscles, et comment ils se rattachent à l'os. C'est aussi l'occasion d'examiner une articulation. Mais peut-être préférez-vous remettre cette expérience à plus tard, quand vous en serez au chapitre de l'os ; il comporte un paragraphe consacré aux articulations. En tout cas, il vous faudra pour cela un pilon et une cuisse de poulet encore reliés l'un à l'autre.

• *Détachez soigneusement la peau en la roulant comme on le ferait avec un bas. Repérez bien les petits trous où étaient attachées les plumes, la couche de graisse sous la peau, le tissu conjonctif et les vaisseaux capillaires.*

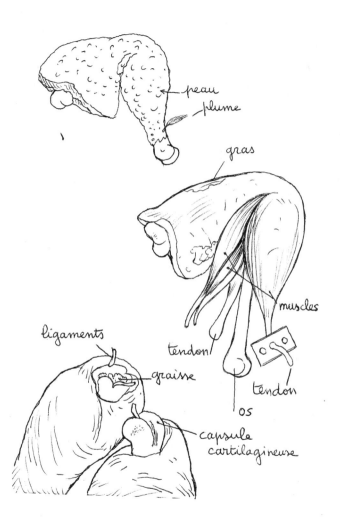

peau

plume

gras

muscles

tendon

tendon

os

ligaments

graisse

capsule
cartilagineuse

93

• *Fléchissez la cuisse et observez comment les divers muscles se contractent ou se relâchent.*

• *Tranchez les tendons à la base de la cuisse, et distinguez les différents groupes de muscles. Combien en dénombrez-vous ? Repérez les principaux vaisseaux sanguins.*

• *Sectionnez proprement la cuisse du pilon pour bien dénuder l'articulation. N'allez pas trop vite de façon à pouvoir identifier les différentes parties.*

Les fils qui relient

Les tendons sont les liens qui fixent les muscles sur un endroit précis de l'os. Ces rubans de tissu conjonctif très solide concentrent toute la force d'un muscle sur un endroit précis de l'os. Ils permettent aussi d'exercer une action musculaire à distance. Ainsi, la mobilité de nos doigts est générée par des muscles situés bien plus haut dans la paume de la main et dans le poignet. Grâce à ce système, nos doigts peuvent allier la délicatesse à la force.

Quand on serre le poing, on comprend mieux comment ces tendons se mettent en action. Remuez l'index, et vous en verrez un bouger au-dessus de votre poignet et glisser jusqu'au dos de votre main. Semblables à de grosses cordes, les tendons sont faits de tissu fibreux très résistant. Des tests en laboratoire ont prouvé qu'ils pouvaient supporter un poids de 27 tonnes par centimètre carré ! En fait, un os se brise bien avant qu'un tendon ne se déchire.

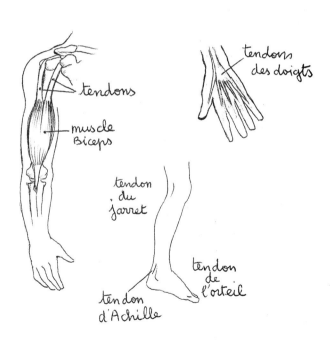

tendons des doigts

tendons

muscle Biceps

tendon du jarret

tendon de l'orteil

tendon d'Achille

Nous sommes élastiques

Il y a des gens qui peuvent se pencher en avant et poser les mains à plat sur le sol sans plier les genoux.

Il y en a d'autres qui parviennent tout juste à toucher leurs orteils.

Enfin, certains atteignent à peine leurs mollets.

Quand on dit de quelqu'un qu'il est souple, cela signifie qu'il peut étirer ses tendons.

Si vous êtes jeune, vous avez plus de chance d'être souple. Mais même les enfants ont des degrés de souplesse très variables. Et puis, on peut aussi avoir certains membres très flexibles, et d'autres qui ne le sont pas du tout.

Incroyable mais vrai !

— Le corps humain possède plus de 600 muscles.

— Si tous les muscles de notre corps se mobilisaient en même temps pour soulever un même objet, leur force équivaudrait à un poids de 25 tonnes.

— L'effort quotidien fourni par les muscles d'une personne normale correspond à celui qu'il faudrait pour changer un poids de 12 000 kilos sur une étagère située à un mètre vingt de hauteur. Faites ensuite le calcul pour savoir à combien de kilos cela équivaudrait sur toute une vie !

Exercices de souplesse

Voici quelques mouvements pour tester votre souplesse. Faites-les avec un ami, vous pourrez comparer vos difficultés. Mais avant que vous, les garçons, ne passiez à la page suivante, sachez que vous aurez toujours tendance à être plus raides que les filles. Même si l'on n'a pas spécialement l'intention de devenir acrobate ou danseur, entretenir sa souplesse est une bonne façon de garder la forme. Pratiquez ces exercices tous les jours, en

plante des pieds

hanches

genoux

dos

haut des cuisses

les orteils

le dos

insistant particulièrement sur les endroits les plus raides.

La plante des pieds :
Étirez l'orteil. Obtenez-vous une ligne droite ? Redressez la plante des pieds de façon à soulever le talon.

Les genoux :
Jusqu'où pouvez-vous plier les genoux tout en gardant les talons au sol ?

Les hanches :
Ramenez votre jambe le plus près possible de votre visage. Étirez-la vers la droite, puis vers la gauche.

La colonne :
Pouvez-vous toucher votre tête avec vos orteils ?

Les cuisses :
Ramenez le talon vers la hanche.

Les orteils :
Essayez de toucher le sol.

Le haut des cuisses :
Penchez-vous en arrière tout en gardant le corps droit.

La colonne :
Pouvez-vous faire toucher vos genoux au sol ?

Les bras :
Les bras derrière le dos, empoignez le balai
et soulevez les pieds l'un après l'autre pour
le faire passer vers l'avant. Répétez cet exercice plusieurs fois.

Les mains :
Un bras derrière l'épaule et l'autre dans le
dos, essayez de joindre les mains. Changez
ensuite de bras.

les bras

les mains

haut
des cuisses

5. Le cœur,
une pompe à deux pistons

La sève de la vie

Autrefois, il y a de cela plusieurs millions d'années, les toutes premières créatures vivantes flottaient dans des océans qui pour elles représentaient à la fois un abri et une source de nourriture. Ces minuscules petites bêtes n'avaient pas encore de sang dans leurs veines.

Avec le temps, et à mesure que leur organisme devenait plus gros et plus sophistiqué, il leur fallut trouver un moyen plus efficace pour faire affluer les liquides nutritifs jusque dans leurs cellules. Alors elles inventèrent une sorte de pompe capable de diffuser la nourriture dans leurs corps affamés. Cette pompe était l'ancêtre du cœur, et les liquides nutritifs proches de l'eau de mer devinrent peu à peu du sang.

Un muscle creux

Quand on demande aux gens quel est le muscle le plus puissant et le plus solide, on obtient toutes sortes de réponses, mais en général, personne ne pense au cœur.

Il doit pourtant être costaud pour pomper du sang jour et nuit pendant toute une vie, et sans jamais faillir à sa tâche !

Une pendule doublement remontée

On pourrait comparer notre cœur à deux pompes travaillant côte à côte.

La partie droite pompe du sang pour approvisionner les poumons qui lui rendent en retour de l'oxygène.

La partie gauche pompe le sang enrichi d'oxygène pour le diffuser dans tout le corps.

Chacune de ces deux parties est divisée en deux cavités : l'oreillette et le ventricule. Le cœur comprend donc deux pistons et quatre cavités. Les deux parties font équipe, ce qui rend leur action de pompage bien plus efficace. Comparé au cœur des limaces ou des anémones de mer, le nôtre est extrêmement sophistiqué.

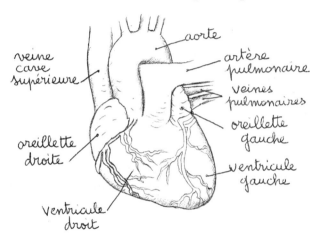

Le test de la balle de tennis

Essayez de presser une balle de tennis avec les doigts, et vous aurez une idée de la formidable puissance de votre cœur.

Il faut autant de force pour presser une balle de tennis qu'il en faut au cœur pour pomper du sang.

Si vous arrivez à exercer dix pressions

par minute (ce qui correspond au rythme cardiaque normal), vous pourrez imaginer à quel point votre cœur travaille dur.

Les bruits du cœur

Tout en travaillant, le cœur fait une foule de petits bruits bizarres. Si vous apprenez à les reconnaître vous constaterez que chacun correspond à quelque chose de précis.

Essayez d'abord de repérer l'endroit où la pulsation est la plus forte. Beaucoup de gens s'imaginent que leur cœur est situé à gauche, ce qui n'est pas tout à fait exact. Il est suspendu au milieu de la cage thoracique, entre les poumons et les côtes.

La confusion vient de ce qu'il est légèrement penché du côté gauche, et que c'est précisément à cet endroit qu'on le sent et qu'on l'entend le mieux.

Au début, vous n'entendez sans doute pas grand-chose. Soyez patient, n'hésitez pas à déplacer le stéthoscope, et surtout faites régner le silence autour de vous. Si vous n'entendez toujours rien, changez-vous les idées en sautant à la corde ou en faisant des claquettes avant de revenir à la charge.

À chaque battement de cœur, on peut distinguer deux sons différents. Ces drôles de bruit sont dus aux valvules qui s'ouvrent et se referment brusquement. Cela donne à peu près ceci : lab-dab-lab-dab-lab-dab...

Le premier bruit (lab) correspond à la fermeture des valvules **tricuspides** et **mitrales**, qui se trouvent toutes les deux dans les cavités supérieures.

Le deuxième bruit (dab) correspond aux valvules **semi-lunaires** qui se referment sur les vaisseaux qui sortent du cœur.

Ces deux bruits sont entrecoupés par une pause, la seconde plus longue que la première.

Le stéthoscope

Le premier stéthoscope fut inventé par un médecin en 1819. Ce n'était qu'un simple tuyau creux, mais il représentait tout de même un progrès puisque, auparavant, on se contentait de coller son oreille contre la poitrine du malade pour entendre les battements de son cœur. Vous pouvez fabriquer le vôtre avec une feuille de papier à lettres enroulée sur elle-même. À moins que vous ne préfériez la version plus moderne du tuyau en caoutchouc fixé au bout d'un entonnoir.

• *Achetez un bout de tuyau en caoutchouc dans une droguerie. Si vous n'avez pas d'entonnoir, utilisez le haut d'une bouteille en plastique coupée en deux.*

• *Testez votre stéthoscope dans un endroit silencieux. Si vous n'entendez toujours rien, essayez la bonne vieille méthode qui consiste à coller l'oreille sur la poitrine du « patient ».*

Souffle au cœur

Parfois, une sorte de sifflement se mêle aux battements du cœur. Cela est dû à l'existence d'une lésion de la valvule provoquant une fuite d'air : ce que l'on appelle un souffle au cœur.

La circulation sanguine

Le sang ne remplit pas notre corps comme de la limonade remplit une carafe. Il coule à travers des vaisseaux sanguins, et sa circulation obéit à des règles très strictes.

Il y a des enfants mais aussi des adultes qui s'imaginent que tous les vaisseaux sanguins sont des veines. Ils se trompent ! C'est comme si l'on disait que toutes les glaces étaient forcément au chocolat.

Il existe trois sortes de vaisseaux sanguins qui ont tous une forme adaptée à leur fonction.

Les artères sont de gros tubes musclés aux parois élastiques capables de supporter une forte pression. Elles canalisent le débit puissant et rapide du sang aspiré et expulsé par le cœur. Ce sont elles que l'on tâte, à l'intérieur du poignet ou ailleurs, quand on veut prendre le pouls.

Les **capillaires** sont des vaisseaux sanguins plus fins que les cheveux. Ils sont si étroits que, pour les traverser, les cellules sanguines doivent se placer à la queue leu leu et passer une à une ! Comme leurs parois sont également très minces, ils filtrent les aliments en gardant ce qui est bon pour l'organisme, et en évacuant les déchets. Chaque cellule de notre corps se trouve à moins d'un millimètre d'un de ces vaisseaux capillaires.

Les veines sont ces lignes bleutées que l'on voit sous la peau, et qui ramènent le sang vers le cœur et les poumons. Comparée au bouillonnement frénétique des artères, la circulation intraveineuse ressemble plutôt au flux tranquille et paisible d'une rivière ! Le passage du sang à travers les minuscules capillaires ralentit considérablement son débit, et l'effet de pompe exercé par le cœur ne s'y fait plus autant sentir. Comme la pression est plus faible, les parois des veines sont plus minces que celles des artères. Parfois, il arrive qu'elles aient même du mal à maintenir la circulation à flot. Heureusement, certains muscles ont pour fonction de les stimuler en les pinçant et en les comprimant, de sorte que le flux sanguin ne soit jamais interrompu. Les veines sont également pourvues de petites poches spéciales qui empêchent le sang de refluer.

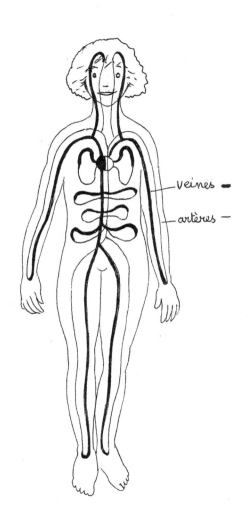

veines —

artères —

Dissection du cœur

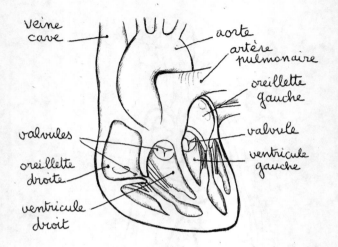

veine cave — aorte — artère pulmonaire — oreillette gauche — valvule — ventricule gauche — valvules — oreillette droite — ventricule droit

La meilleure façon d'examiner l'intérieur d'un cœur est d'en disséquer un. Le cœur d'agneau s'y prête assez bien, car il a à peu près la même taille et la même forme que le cœur humain. En général, dans les supermarchés les cœurs ont été débarrassés de leurs veines et de leurs artères. Essayez d'en trouver un qui soit entier.

• *Repérez le devant du cœur (la partie postérieure n'a pas le même aspect).*

• *Examinez-le par le dessus, et essayez de*

repérer les principaux vaisseaux sanguins.

• *Ouvrez très délicatement le cœur en deux. Observez la façon dont sont fixées les attaches avant de les couper. Utilisez plutôt un grand couteau, la dissection sera plus nette.*

• *Essayez de reconnaître les quatre cavités, les valvules ainsi que les principales artères et veines.*

Le garrot

Jusqu'au XVIIe siècle, les savants comparaient le sang à la marée, et pensaient qu'il circulait n'importe comment. Mais un jour un médecin anglais, William Harvey, démontra que le sang obéissait à un mouvement circulaire qui s'effectuait toujours vers le cœur. Vous pourrez le constater en faisant l'expérience suivante :

• *Nouez-vous un mouchoir un peu au-dessus du coude de façon à bien faire saillir les veines.*
• *Appuyez sur une des veines en déplaçant le doigt vers le bas.*
• *Relâchez ensuite la pression du doigt. Dans quel sens le sang afflue-t-il ?*

Attention ! Le garrot peut être dangereux. Ne le gardez pas plus d'une minute.

Sous la langue

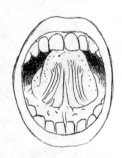

Le dessous de la langue est un endroit idéal pour observer les vaisseaux sanguins. Pour cela, utilisez un miroir ou une loupe.

Observez le dessous de votre langue à l'aide d'un miroir et d'une torche électrique. Incroyable, n'est-ce pas ?

112

Les grosses lignes bleues sont les veines ; les grosses lignes roses sont les artères, et les minuscules lignes roses ou rouges sont les capillaires.

Vous pouvez aussi observer des capillaires sur le blanc de la partie inférieure de l'œil.

Le pouls

On peut entendre battre son cœur, mais on peut aussi le sentir en prenant son pouls. À chaque battement, le sang est violemment pulsé dans les artères qu'il fait palpiter. On peut même sentir l'élasticité des artères dont les parois se tendent puis se relâchent sous la pression du sang qui les parcourt.

En général, les artères sont situées bien au-dessous de la surface de la peau et sont ainsi protégées. En effet, si l'aorte était soudain sectionnée, le sang jaillirait à environ un mètre de hauteur, et il serait extrêmement difficile de stopper une telle hémorragie !

Pourtant, il y a quelques endroits où les artères affleurent, et où l'on peut prendre son pouls. Ces points sont très peu nombreux et éloignés les uns des autres. Essayez de les repérer sur votre corps.

Prendre son pouls avec une allumette

Avec un peu de pâte à modeler et une allumette, vous pouvez facilement traduire votre rythme cardiaque.

• *Enfoncez une allumette dans une boulette de pâte à modeler d'environ 1 cm de diamètre. Vous pouvez aussi la piquer au bout d'une punaise.*
• *Posez la boulette en équilibre sur votre poignet, à l'endroit où le pouls est le plus perceptible.*

• *Épatez vos amis en affirmant que vous avez mis cette méthode au point pour mesurer votre rythme cardiaque. Proposez-leur ensuite de l'expérimenter sur eux.*

Ce que révèle le pouls

Chaque catégorie d'animaux a un rythme cardiaque et une espérance de vie qui leur sont propres. En général, les animaux au rythme cardiaque lent vivent plus longtemps que les autres.

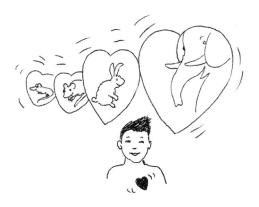

Les humains ont un cœur ultraperformant qui bat environ 2,5 milliards de fois en une vie, ce qui représente une moyenne bien plus élevée que chez les animaux. On ne sait pas très bien pourquoi, mais une chose est sûre : si l'on pouvait ralentir notre rythme cardiaque, ces 2,5 milliards de battements s'étaleraient sur plus d'années.

Comparez votre pouls à celui des athlètes

On a constaté que des sportifs de n'importe quelle discipline avaient un rythme cardiaque différent quand ils étaient au repos. Lisez le tableau ci-dessous ; après en avoir tiré vos conclusions personnelles, établissez le graphique de vos propres mesures.

Pulsations cardiaques par minute			
individu	72	sprinter	58
escrimeur	68	footballeur	55
haltérophile	65	rameur	50
joueur de		nageur	40
volley-ball	60	coureur de fond	35

Ces chiffres correspondent aux rythmes cardiaques exceptionnellement lents d'athlètes de haut niveau.

Le rythme cardiaque des sportifs

L'exercice physique fait travailler le cœur. Mais ce n'est pas une raison pour vous coucher par terre en refusant de bouger, car c'est justement en grimpant les escaliers et en faisant le tour du pâté de maisons au pas de course que votre cœur deviendra plus solide.

Comme n'importe quel autre muscle, le cœur se développe et se fortifie quand on le fait travailler. Celui d'un athlète bien entraîné peut faire le même travail que celui d'un non-sportif tout en battant plus lentement. Il est même prouvé scientifiquement qu'un sportif vit plus longtemps qu'un employé de bureau.

Mesurez votre degré de stress

Les cellules ont constamment besoin d'oxygène et de nourriture. Même durant le sommeil, le cœur n'arrête jamais de pomper du sang.

Si vous faites du patin à roulettes, ou si vous vous agitez en rangeant votre chambre, votre cœur devra battre plus vite pour alimenter et oxygéner les parties actives de votre corps.

Après chacune de ces activités, accordez-vous quelques instants de répit, puis prenez votre pouls. Refaites la même chose en inventant d'autres exercices.

Reportez les résultats dans un tableau.

• *Que constatez-vous après un effort physique plus important ?*

• *Et après être resté assis ou debout ?*

Surveillance du pouls

Il y a de fortes chances pour que, même au repos, votre pouls soit moins lent que celui des athlètes du tableau de la page 116. Ne vous inquiétez pas, c'est normal. Les enfants ont un rythme cardiaque naturellement plus rapide qui tend ensuite à ralentir quand ils grandissent. En général, les pulsations cardiaques d'un enfant oscillent entre 90 et 120 par minute, tandis que celles d'un adulte se limitent à 70 battements par minute.

En revanche, il serait intéressant de comparer votre pouls à celui d'un copain de votre âge.

Si vous avez envie d'approfondir la question, voici quelques suggestions :

• Vérifiez par vous-même si les enfants ont bien des pulsations cardiaques plus rapides.

• Utilisez votre chien ou votre chat comme cobaye pour trouver la corrélation entre la taille du corps et le pouls.

• Faites la même chose avec les membres de votre famille.

Incroyable mais vrai !

– En une journée, votre sang fait plus de mille fois le tour de votre corps.

– Le cœur pompe 5 000 à 6 000 litres de sang par jour.

– Dans les moments d'effort physique

intense, le cœur peut pomper jusqu'à 54 litres de sang par minute.

– Mis bout à bout, tous les vaisseaux sanguins de notre corps mesureraient 90 000 kilomètres.

– Votre cœur a environ la même taille que votre poing.

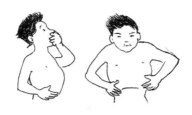

6. Les poumons

Pompes et filtres

Tous les animaux ont besoin d'oxygène, et ceux qui vivent sur terre en trouvent dans l'air qu'ils respirent. Leurs poumons pompent cet air à l'intérieur de leur corps, et le filtrent ensuite pour en extraire l'oxygène nécessaire à la vie des cellules.

Les poumons ont donc une double fonction de pompage et de filtre ; ils nous donnent le souffle de la vie.

À l'intérieur d'un poumon

À l'intérieur de notre poitrine se trouve une sorte d'arbre que l'on appelle les bronches. Ses nombreuses ramifications diffusent très rapidement l'air qui arrive de la trachée à travers tout l'organisme.

Nous inspirons de l'air, mais ce n'est qu'après qu'il a traversé les parois de nos poumons pour pénétrer dans le sang qu'il est vraiment en nous.

Les animaux à sang chaud brûlent énormément d'oxygène. Par conséquent, il leur faut de grands poumons pour pouvoir en distribuer suffisamment dans le sang. D'où, à nouveau, l'utilité des bronches en forme d'arbre.

En effet, l'air qui traverse la trachée emprunte deux voies appelées bronches. Celles-ci se ramifient en réseaux de plus en plus fins appelés **bronchioles**. Ces bronchioles débouchent ensuite dans des petits sacs, les **alvéoles**. Ce n'est qu'au niveau de leurs parois que l'air inspiré peut réellement traverser les poumons. Nous possédons environ 600 millions de ces petits sacs spongieux.

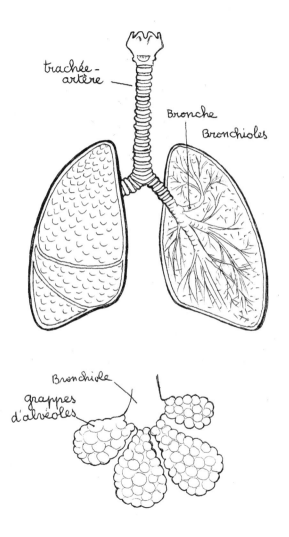

trachée-artère

Bronche
Bronchioles

Bronchiole
grappes
d'alvéoles

123

Auscultez-vous avec un doigt

Un autre moyen d'explorer l'intérieur de votre poitrine est l'auscultation par **percussion**. Cette technique est couramment utilisée par les médecins, et consiste à marteler une partie du corps avec un doigt replié, comme lorsqu'on choisit une pastèque : si elle est bien ferme et juteuse, elle rend un son clair. Mais si elle est trop vieille et desséchée, le son est mat. Quand on sait interpréter les sons, la percussion peut être très efficace pour établir un diagnostic.

Posez une main à plat sur les genoux, et martelez-la avec l'index de l'autre main. Répétez ce mouvement jusqu'à ce que vous obteniez le bon son.

Apprenez à interpréter les sons :

Son mat : muscles solides et fermes, comme ceux des cuisses.

Son creux : parties du corps renfermant de l'air, comme l'estomac.

Son qui résonne : régions du corps à la fois dures et creuses, telles que les côtes.

On peut ainsi identifier toutes les parties du corps d'après les sons obtenus en les martelant.

Situez vos poumons

Avez-vous une idée de l'espace qu'occupent vos poumons ?

La plupart des gens s'imaginent que les poumons sont à peu près de la taille d'un pamplemousse, alors qu'en réalité ils sont plutôt comparables à deux ballons de foot. Ils remplissent pratiquement tout l'espace compris entre le cou et les côtes.

Une soufflerie spongieuse

Les poumons travaillent en permanence ; ils absorbent l'oxygène présent dans l'air que nous inspirons, récupèrent aussi le gaz carbonique que nous rejetons ensuite en expirant.

À l'intérieur de notre poitrine, il y a un

espace appelé **cavité pleurale**. Elle est aux trois quarts occupée par les poumons qui sont disposés de part et d'autre de la poitrine, et qui ressemblent à deux gros ballons spongieux. Cette cavité est fermée à la base par le diaphragme qui, selon qu'il remonte ou descend, l'agrandit ou la rétrécit.

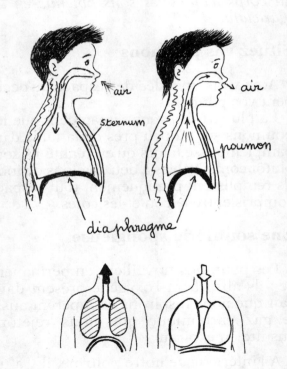

À chaque inspiration, le diaphragme se contracte et descend, pendant qu'au même moment les côtes s'ouvrent et élargissent la cavité pleurale. L'air peut alors s'y engouffrer et remplir tout l'espace.

Puis, à l'expiration, le diaphragme remonte et les côtes se referment. Du coup, la cavité rétrécit, et l'air est expulsé des poumons.

Le fait de respirer provoque donc trois mouvements différents et simultanés : contraction-relâchement, élargissement-rétrécissement, inspiration-expiration.

Respiration lente ou rapide

Parfois, notre respiration est si lente qu'on la remarque à peine. Quand on se concentre très fort, il arrive même que l'on retienne sa respiration pendant quelques instants.

En revanche, après avoir joué au foot ou au hand-ball, nous sommes tellement essoufflés que nous avons l'impression de ne pas pouvoir emmagasiner assez d'air à la fois.

Le débit de notre souffle est contrôlé de manière automatique par le centre de la respiration situé dans notre cerveau. C'est lui qui régule le rythme de notre respiration en nous fournissant la dose d'oxygène adaptée à telle ou telle activité. En effet, on n'a pas besoin de la même quantité d'air quand on dort, quand on escalade une montagne ou quand on se ronge les ongles dans la salle d'attente du dentiste en attendant son tour.

On pourrait penser que ce centre de la respiration régule notre souffle en fonction du taux d'oxygène dans le sang. En fait, c'est exactement l'inverse, puisque c'est le gaz carbonique contenu dans le sang qui détermine le débit de notre respiration.

Contrôler sa respiration

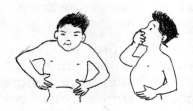

Si on le veut, on peut tout à fait accélérer ou ralentir le cycle de l'inspiration et de l'expiration. Dans le langage physiologique, on appelle cela le « contrôle volontaire ».

La plupart de nos muscles, y compris le diaphragme qui se trouve dans la cavité pleurale, sont « volontaires », c'est-à-dire qu'il suffit de vouloir les mettre en action pour qu'ils se mobilisent. C'est très pratique pour traverser la rue ou pour nager sous l'eau.

Si vous vous mettiez à haleter pendant un bon moment, vous accumuleriez un surplus d'oxygène. Votre système de contrôle « involontaire » prendrait alors automatiquement le dessus et provoquerait un évanouissement afin de rétablir un rythme respiratoire plus lent et un taux d'oxygénation normal.

Mais si au contraire vous décidiez de retenir votre souffle pour donner des frayeurs à votre méchante grande sœur, votre système de contrôle interviendrait en vous faisant, là encore, tomber dans les pommes jusqu'à ce que votre respiration se rétablisse. Même si on le voulait, on ne pourrait pas arrêter de respirer jusqu'à en mourir.

Mesure du taux d'oxygénation

Pour courir un 100 mètres, il nous faut environ 7,5 litres d'oxygène. Si notre sang en fournit déjà un litre, le reste est généré par l'accélération de la respiration. On peut tester le taux d'activité des cellules en mesurant la vitesse à laquelle elles absorbent de l'oxygène. Faites vous-même le test à différents moments de la journée et lors d'activités le plus variées possible. Il s'agit de calculer le nombre d'inspirations-expirations en une minute. Comparez ensuite les chiffres avec ceux d'une personne de votre corpulence.

• *Il vous faut un réveil pourvu d'une trotteuse.*

• *Mesurez votre taux d'oxygénation à différents moments de la journée. Comparez les* chiffres obtenus le matin au réveil à ceux correspondant à un moment de contrarié-té ou de colère. Comment respirez-vous quand vous êtes très concentré ?

• Essayez de voir s'il existe une relation entre le poids, la taille et le rythme respira-toire chez votre chien ou votre chat.

Capacité pulmonaire

Pour mesurer votre capacité pulmonai-re, il vous faut un spiromètre que vous pouvez fabriquer vous-même.

Pour cela, prenez un bidon en matière plastique, un entonnoir, un tuyau en plas-tique et une bassine.

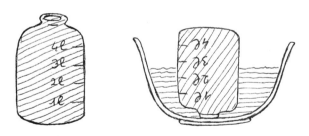

Sur un bidon en matière plastique, tra-cez les graduations jusqu'à 4 litres, en ver-sant chaque fois un litre d'eau. Ajoutez ensuite de l'eau pour le remplir entièrement. *(Utilisez un pichet ou un verre gra-dué pour mesurer l'eau.)*

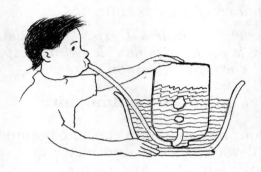

Retournez ensuite ce bidon plein sur une bassine également remplie d'eau, en main-tenant un doigt sur l'ouverture jusqu'à ce qu'elle soit immergée. Introduisez le tuyau en plastique dans l'ouverture. Prenez une profonde inspiration et soufflez ensuite de toutes vos forces dans le tube. L'air chassé de vos poumons se rassemble au fond du bidon, expulsant une partie de l'eau qu'il contient. En mesurant la différence de niveau de son contenu, vous connaîtrez votre capacité pulmonaire. Renouvelez l'expérience en respirant cette fois norma-lement, et notez les volumes d'air échan-gés.

Incroyable mais vrai !

– Les poumons sont les seuls organes de notre corps qui soient suffisamment légers pour flotter sur l'eau.

– La surface totale des poumons, c'est-à-dire celle des millions d'alvéoles qui les composent, est environ 25 fois supérieure à celle de notre peau.

– Les poumons sécrètent une substance détergente qui, en réduisant considérablement le niveau de liquide qu'ils renferment, permet à l'air de les pénétrer.

Test du sac en plastique

Il suffit de respirer plusieurs fois le même air pour se rendre compte que celui-ci se transforme. Lorsqu'il devient irrespirable, on peut alors imaginer quels changements s'opèrent à l'intérieur de nos poumons.

> Attention : Ceci peut être dangereux. Ne faites cette expérience qu'*une seule fois*, puis jetez le sac en plastique.

• *Utilisez un sac en plastique de petite taille.*

• Soufflez une fois dedans en le mainte-
nant soigneusement appliqué sur votre nez
et votre bouche.

• Combien de fois pouvez-vous inhaler le
même air avant que cela ne devienne désa-
gréable ? Arrêtez l'expérience dès que vous
commencez à ressentir une gêne.

• Attachez le haut du sac de manière que
l'air expiré ne s'en échappe pas.

L'expiration

L'air inhalé ne ressort pas forcément tel
quel. L'air qu'on inspire est parfois glacé,
sec, brumeux ou poussiéreux, mais une
fois expulsé de nos poumons il est toujours chaud et humide. C'est parce que
l'air se transforme à l'intérieur de nous,
sans que nous puissions pour autant le
voir ou le sentir. Vous pouvez mesurer la

quantité d'air rejetée par vos poumons en comparant avec un sac rempli d'air de même taille.

Versez avec grand soin un sac rempli d'air sur une bougie allumée et fixée au fond d'un verre.

Faites la même chose avec un sac dans lequel vous aurez préalablement soufflé.

Quelle bougie s'éteindra la première ?

L'air conditionné
à l'intérieur de notre nez

Le nez est relié à des sortes de tunnels appelés fosses nasales, qui elles-mêmes sont connectées à la trachée. Non seulement ces fosses nasales font transiter l'air jusqu'aux poumons, mais elles ont aussi une fonction de régulation thermique : elles réchauffent et humidifient l'air que nous inhalons pour qu'il n'endommage pas le tissu délicat des poumons.

Les fosses nasales sont recouvertes d'une couche humide et visqueuse, le **mucus**, appelé aussi communément de la morve. Ces sécrétions pas très ragoûtantes ont pourtant un rôle précis à jouer : elles humidifient l'air que nous inhalons, et filtrent aussi toutes les impuretés telles que la poussière ou la fumée.

Les voies respiratoires sont également tapissées de tout petits poils, les **cils vibratoires**, qui facilitent l'expulsion des saletés en les faisant remonter des poumons jusqu'au nez ou à la bouche. Quant aux voies elles-mêmes, elles suivent un parcours sinueux qui oblige l'air à passer dans tous les coins et recoins, lui donnant ainsi l'occasion d'être réchauffé, humidifié et filtré.

Comme le nez au milieu de la figure

Le nez est la seule protubérance du visage de l'homme.

Vous êtes-vous demandé pourquoi il pointe ainsi ? Non ?

Des savants ont réfléchi à la question, et prétendent que, selon les régions du globe où ils habitent, les êtres humains ont des nez dont la morphologie leur permet de mieux respirer l'air ambiant.

Connexion entre les fosses nasales et la gorge

On oublie souvent que les voies du nez, de la bouche, de la gorge et des oreilles sont toutes reliées entre elles. Vous pouvez le constater par vous-même en faisant les jeux ci-dessous :

• *Inspirez puis expirez par le nez, d'abord avec les deux narines, puis avec une seule.*

• *Inspirez et expirez par la bouche.*

• *Inspirez par le nez et expirez par la bouche. Puis faites l'inverse.*

• *Avalez une bonne goulée d'air. Puis expulsez-la en rotant.*

• *Bouchez-vous le nez et déglutissez pour fermer les conduits auditifs ; puis bâillez pour rétablir l'équilibre.*

137

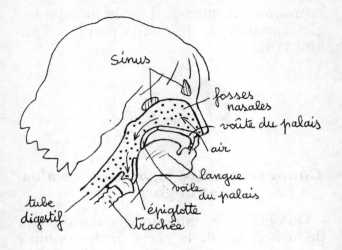

Sinus

fosses nasales

voûte du palais

air

langue

voile du palais

épiglotte

trachée

tube digestif

La toux

L'**épiglotte** est une sorte de petit clapet qui recouvre la trachée. Il arrive qu'elle se trompe, et qu'elle laisse passer un peu de nourriture dans la trachée. Cela peut se produire quand on veut parler et avaler en même temps. Mais une erreur de ce genre peut être fatale si la trachée se bloque et empêche de respirer trop long-temps. Peut-être est-ce aussi pour cela que l'on nous répète toujours de ne pas parler la bouche pleine !

Dieu merci, la nature, sachant qu'on ne pourrait s'empêcher de parler à table, inventa la toux pour éviter qu'on ne s'étrangle !

Dès que quelque chose s'approche un peu trop près de l'épiglotte, cela provoque une sorte d'explosion d'air qui chasse l'intrus. Ces « vents » peuvent parfois atteindre jusqu'à 50 kilomètres à l'heure ! Un minuscule petit bout de nourriture peut suffire à déclencher le système d'alarme de la toux.

Lors d'un refroidissement, les écoulements de mucus à l'intérieur de la gorge provoquent eux aussi des accès de toux qui peuvent être très violents, et ne cessent que lorsque le rhume est guéri.

Le hoquet

On ne sait pas très bien pourquoi, mais il arrive que notre diaphragme soit tout à coup pris de spasmes. À chaque contraction, de l'air s'engouffre dans les poumons. Alors l'épiglotte se referme sur la trachée. L'air est si brutalement arrêté que tout le corps en sursaute.

Le hoquet, c'est donc de l'air qui entre par la bouche, et qui est brutalement refoulé par l'épiglotte.

Les cordes vocales

Quand on fait vibrer un fil bien tendu, on obtient un son. C'est ce qui se passe quand le vent souffle à travers les fils du téléphone, et c'est aussi comme ça que nous parlons ou chantons.

Le **larynx** abrite tout un réseau de fils qui vibrent chaque fois qu'ils sont effleurés par le souffle. Il se situe en haut de la trachée, au niveau de ce que l'on appelle la pomme d'Adam.

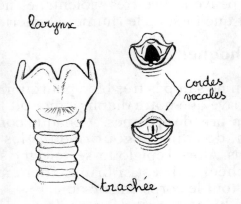

larynx

cordes vocales

trachée

Ces fils qui se trouvent dans le larynx s'appellent des cordes vocales. Ce sont des rubans de tissu cartilagineux tendus sur la trachée. Quand on chante, l'air passe à travers et les fait vibrer. Plus l'air passe vite, plus les vibrations sont rapides et sonores. Lorsque les cordes vocales sont très tendues, elles produisent un son aigu ; relâchées, elles donnent des sons plus graves.

En général, les hommes ont des voix plus graves parce que leurs cordes vocales sont à la fois plus épaisses et plus longues. Celles des femmes et des enfants ne mesurent que 2,5 centimètres, et correspondent à des voix plus aiguës.

Mais les sons produits par les meilleurs chanteurs ne pourraient être entendus si ceux-ci n'étaient pas pourvus de tout un système de résonateurs. Le thorax, la bouche et le nez font office de caisse de résonance. De même qu'un cri résonne plus fort dans une cave, lorsque nous parlons, le son de notre voix se répercute contre les parois du nez, de la bouche et de la poitrine, et s'en trouve de ce fait amplifié. C'est aussi ce système d'écho qui donne à notre voix son timbre : notre nez, notre bouche et notre thorax ont une morphologie qui leur est propre. C'est pour cela que personne n'a exactement le même timbre de voix.

Localisation du larynx

Notre larynx se trouve juste derrière la petite bosse que nous avons dans la gorge, appelée la pomme d'Adam. Celle-ci est plus visible chez les gens qui ont un cou très maigre, mais tout le monde en a une. On la sent très bien en tâtant cette partie cartilagineuse sur le devant du cou. Le larynx est situé juste derrière.

Faites un son le plus grave possible. Vous sentez les vibrations.

Maintenant, poussez un cri très aigu. Puis montez et descendez plusieurs fois de suite la gamme des graves et des aigus. Sentez-vous vos muscles s'ajuster à ces hauteurs différentes ?

La parole

Les humains ont un système phonatoire très développé, mais on peut en dire autant des chimpanzés.

Notre bouche, nos lèvres, nos dents et notre langue nous permettent de prononcer des sons articulés. Mais là encore, les singes en sont également capables.

L'avantage des humains sur les chimpanzés, c'est qu'ils ont un cerveau suffisamment sophistiqué pour combiner des mots entre eux et faire des phrases.

La parole est un ensemble de mouvements des lèvres, des dents, de la langue et des mâchoires, auxquels participent également les fosses nasales. Ces mouvements s'enchaînent très rapidement dans un flot continuel, et requièrent un travail considérable de la part du cerveau et des muscles.

Quand nous étions tout petits, nous avons passé des centaines et des centaines d'heures à apprendre à parler. À présent, nous articulons des mots presque sans effort, et de façon automatique.

Notre langue

Finalement, nous ne sentons notre langue que lorsque nous la mordons par mégarde. Sinon, elle ne se fait pas remarquer, et effectue pourtant une foule de petits mouvements très subtils pour articuler des mots.

Amusez-vous à faire ces exercices pour prendre conscience de tout ce dont elle est capable.

• *Essayez de parler sans bouger la langue.*
Puis relâchez-la. Quand se soulève-t-elle ?
s'étale-t-elle ? épaissit-elle ? se roule-t-elle ?
touche-t-elle vos dents ?

• *Parlez sans remuer les lèvres.*

• *Parlez sans remuer les mâchoires.*

• *Parlez avec une bille sous la langue. Ne*
l'avalez pas !

Les sinus

Les os de notre visage renferment huit
cavités appelées sinus. Ces sinus font partie de l'« air conditionné » de notre nez.
En produisant du mucus, ils assurent
l'humidification des fosses nasales.

À l'origine, les sinus ont été conçus pour
drainer le mucus vers le centre de gravité,
c'est-à-dire vers le bas. Cela était très efficace quand les premiers hommes mar-
chaient à quatre pattes, mais maintenant
que nous nous tenons debout, ce système
de vidange ne fonctionne plus très bien.
En cas de surproduction de mucus, comme durant un rhume, les sinus sont engor-
gés, et ce phénomène peut alors provoquer une sensation d'étouffement et parfois même des migraines.

Certains médicaments peuvent apporter un soulagement rapide à ce genre de désagrément, mais ce que les laboratoires pharmaceutiques omettent de dire, c'est qu'il suffirait dans certains cas de se mettre à quatre pattes pendant cinq minutes pour être soulagé.

Cas particuliers

Les **rhinites**. Certains virus aiment surtout se loger à l'intérieur des fosses nasales. Quand ils s'y installent et commencent à proliférer, l'organisme mobilise toutes ses défenses. Cela entraîne un tas de symptômes assez désagréables : la production de mucus est particulièrement abondante afin d'évacuer les bactéries, et les vaisseaux sanguins des fosses nasales se mettent à se dilater. Résultat, nous avons le nez rouge, il coule en permanence, ou, au contraire, est complètement bouché, si bien que nous avons du mal à respirer. Sans parler des éternuements également provoqués par cette surabondance de mucus. Bref, être enrhumé n'est pas une partie de plaisir !

Le **rhume des foins**. Il arrive aussi que tous ces symptômes soient déclenchés par de minuscules particules de pollen en suspension dans l'air. Chez la plupart des gens, ces particules sont automatiquement filtrées et évacuées comme n'importe quel corps étranger. Mais chez les personnes dotées d'un système de défense très actif, le pollen est ressenti comme une véritable menace, et déclenche une mobilisation générale du système de défense, exactement comme s'il s'agissait d'une attaque virale. Ces personnes se retrouvent alors avec le nez qui coule et les yeux rouges. Heureusement, le pollen ne flotte dans l'air qu'au printemps et en automne, si bien que les gens sujets au rhume des foins sont tranquilles en été et en hiver, à moins bien sûr qu'ils n'attrapent froid.

Le **bâillement**. Quand on écoute distraitement son prof de maths en train de faire un cours sur les fractions, notre respiration devient très lente et superficielle, et on a soudain très envie de dormir. Pour éviter de s'assoupir, on essaie alors de réactiver sa respiration en prenant une profonde inspiration, ou en bâillant tout en mettant la main devant la bouche pour que ça ne se voie pas. Malheureusement, en général, le professeur n'est pas dupe ; il sait bien qu'un élève qui bâille s'ennuie et a envie de dormir...

7. Les cellules

Ce qui est à la base de la matière vivan-te porte un nom. Ça s'appelle le **proto-plasme**, ce qui signifie « matière premiè-re ». Cette drôle de bouillie gélatineuse est faite de carbone, de nitrogène, d'hy-drogène et d'oxygène. Rien que de très ordinaire, en fait... Pourtant, le proto-plasme a quelque chose de plus que les substances chimiques habituelles ; il mange, il respire et il excrète, parce que c'est de la matière vivante !

Le protoplasme est à l'origine de tout ce qui est vivant, et se divise en minus-cules petits paquets que l'on appelle les cellules. Les cellules sont les unités de base de la vie. Elles peuvent être de tailles et de formes variables, et pourtant, les cellules d'une baleine ne sont pas plus grandes que celles d'une souris. Ce qui les distingue les unes des autres, c'est leur nombre et la façon dont elles s'organisent.

Cell City

Tout ce qui vit est constitué de cellules. Certaines créatures microscopiques et d'aspect gluant sont unicellulaires, tandis que les gros animaux sont d'énormes morceaux de protoplasme contenant des milliards de cellules. Mais quelle que soit la taille de l'animal, chacune de ces cellules a pour objectif de rester vivante.

Pourtant, le travail d'une cellule appartenant à un corps multicellulaire est un peu différent. En effet, les cellules travaillent en équipe, et chaque équipe a une fonction qui lui est propre. Par exemple, telles cellules devront transporter l'oxygène dans tout l'organisme par le sang, pendant que d'autres se chargeront d'approvisionner le corps en énergie, ou de le débarrasser de ses déchets.

La spécialisation des cellules existe aussi bien à l'intérieur qu'à l'extérieur de notre corps. On peut la comparer à l'organisation de notre société. Aujourd'hui, une personne qui vit en ville ne garde pas les vaches et ne fabrique ni son pain ni ses chaussures. Elle se spécialise dans une seule chose, comme réparer les télévisions, et laisse à d'autres le soin d'assumer des services différents.

Même si l'on considère notre corps dans sa totalité, il ne faut pas oublier qu'il est constitué de 100 billions de cellules qui obéissent à une organisation très complexe. En fait, nous sommes une véritable usine de cellules.

Problèmes que nous avons sans le savoir

Si saugrenu que cela puisse paraître, les arbres, les crapauds, les limaces et les êtres humains ont des problèmes communs.

Bon, d'accord, les crapauds n'égarent pas les livres de la bibliothèque municipale, et les limaces ne perdent pas leur meilleur ami quand celui-ci déménage avec sa famille dans une autre ville. Et pourtant, ces bestioles doivent, tout comme vous, lutter pour rester en vie. On peut dénombrer cinq besoins vitaux propres à tous les êtres vivants :

- Ils doivent lutter pour se nourrir.
- Ils ont besoin d'air pour respirer.
- Ils doivent se débarrasser de leurs déchets.
- Ils dépendent de leur environnement qui leur procure de la lumière et de la nourriture, mais qui peut aussi leur être néfaste.
- Ils doivent se reproduire.

Notre autre point commun avec les limaces, c'est que nous sommes faits du même protoplasme qui, lui-même, est organisé en groupes de cellules. En revanche, nous avons d'autres moyens que les guêpes ou les éléphants d'aborder les problèmes de survie.

On a toujours de la température

Quand votre mère vous apporte le thermomètre en disant : « Voyons si tu as de
la température », elle devrait plutôt dire
« Voyons si ta température est plus élevée
que d'habitude », car même les glaçons
ont une température.

Toutes nos cellules sont constamment
en train d'emmagasiner du carburant
qu'elles brûlent ensuite pour nous fournir
de l'énergie. Ce phénomène libère également de la chaleur, et c'est pourquoi nous
avons en ce moment même une température plus élevée que ce livre.

Cet enchaînement de réactions chimiques qui se font à l'intérieur de nos cellules, c'est le **métabolisme**. Quelque fois,
quand vous courez à toute vitesse pour
attraper le bus, vos cellules travaillent à
un rythme effréné ; et quand vous dor-
mez, elles continuent à s'activer, mais
beaucoup plus lentement.

On appelle « taux métabolique » la
vitesse à laquelle nos cellules brûlent de
l'énergie. Notre organisme peut s'adapter
à des taux très différents. Quand vous
courez après le bus, vous brûlez quarante
fois plus d'énergie que lorsque vous dor-
mez.

La prochaine fois que vous prendrez votre température, vous saurez que c'est pour avoir une idée plus précise de ce qui se passe dans vos cellules.

Combustion des cellules

Chacune de vos 100 billions de cellules a besoin de carburant pour faire correctement son travail.

Chacune de vos cellules a la faculté d'absorber des substances chimiques et de les mélanger à de l'oxygène pour produire de l'énergie.

C'est ce que l'on appelle l'**oxydation**. Le phénomène, archibanal, se produit à chaque instant. Quand du fer est en contact avec l'oxygène de l'air, à la longue, il rouille. Mais l'oxydation peut aussi survenir très rapidement : lorsqu'on mord dans une pomme et qu'on la laisse sur la table, elle devient marron en moins d'une demi-heure.

Tableau de contrôle climatique

Il y a des gens qui adorent transpirer au sauna pour ensuite se rouler dans la neige. Nous pouvons parfaitement nous adapter à de grandes différences de température, tant que celle-ci reste extérieure. En revanche, notre « climat interne » doit rester aussi stable que celui d'une serre remplie d'orchidées.

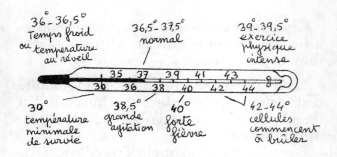

36°-36,5° Temps froid ou température au réveil

36,5°-37,5° normal

39°-39,5° exercice physique intense

30° température minimale de survie

38,5° grande agitation

40° forte fièvre

42-44° cellules commencent à brûler

Prendre sa température

La température normale d'un être humain se situe autour de 37 ° Celsius. Mais peut-être que la vôtre est un peu au-dessus ou en dessous de cette moyenne. Vérifiez-le par vous-même, il y a certainement un thermomètre dans l'armoire à pharmacie de votre salle de bains.

Prenez votre température à différents moments de la journée, par exemple au lever, ou après une douche froide, ou après un footing de 3 kilomètres.

154

Sang chaud

Le corps d'une grenouille est à la même température que son milieu ambiant. Si elle vit dans un étang qui fait 20 °C, elle-même fera 20 °C. Si elle vit dans une eau à 10 °C, elle n'en fera également que 10. Seulement, elle ne se déplacera que très lentement, en supposant qu'elle puisse encore se déplacer.

Un enfant se baignant dans une eau à 20 °C gardera sa température de 37 °C. Et un enfant dans une eau à 10 °C gardera lui aussi ses 37 °C, à la différence près qu'il nagera à toute allure pour regagner la terre ferme le plus vite possible !

Cette différence de température corporelle tient au fait que les grenouilles ont le sang froid, tandis que celui des enfants est chaud. Le corps humain possède une sorte de régulateur thermique qui le maintient à une température stable en contrôlant la vitesse à laquelle il brûle de l'énergie. Les créatures à sang froid n'ont pas de régulateur thermique. C'est leur environnement qui détermine leur métabolisme. Lorsque la température extérieure descend, leur corps fonctionne au ralenti.

Les humains, ainsi que tous les mammifères, sont des êtres à sang chaud qui fonctionnent à plein régime. Ils brûlent rapidement leur énergie, mais gardent une température stable. Quel que soit le temps qu'il fait dehors, leur climat interne est toujours chaud et prêt à l'action.

Cas particuliers

La fièvre. On a la fièvre quand notre système de régulation thermique a fixé notre température à un degré plus élevé que la normale. Cela indique que notre organisme est en train de lutter contre une infection. Le médecins pensent que la fièvre a deux vertus : la première serait d'accélérer le métabolisme afin que les tissus endommagés se reconstituent plus rapidement. D'autre part, on constate que les virus et les bactéries ont du mal à survivre à une température élevée. La fièvre serait peut-être une stratégie de l'organisme pour les éliminer.

Les frissons. Il arrive que nous ayons de la fièvre et que notre peau reste glacée. Nous sommes brûlants à l'intérieur, et pourtant, nous frissonnons. C'est parce que ce sont justement les frissons qui produisent la fièvre : l'action musculaire engendrée par le fait de trembler produit de la chaleur, qui elle-même fait monter notre température pour mieux lutter contre l'infection. Lorsque la poussée de fièvre est passée, la température redescend, la peau se réchauffe, et nous nous mettons à transpirer.

8. La digestion, ou le long voyage à travers le tube digestif

Lorsque nous mangeons, il faut un certain temps pour que l'organisme assimile la nourriture.

Les aliments commencent par parcourir le tube digestif, sorte de tuyau sinueux de neuf mètres de long qui part de la bouche pour arriver à l'anus. Ce n'est que lorsque votre déjeuner a été complètement absorbé par les parois de ce tuyau que vous pouvez vraiment considérer qu'il est dans votre corps.

Mais pour que les éclairs au chocolat ou les sandwichs jambon-beurre puissent passer par les parois du tube digestif, ils doivent d'abord être fragmentés et transformés en substances chimiques plus simples.

Ce processus est très long, et comporte plusieurs étapes, à différents endroits du tube digestif.

Que prendrez-vous pour votre déjeuner ?

Tous les êtres vivants ont besoin de carburant pour vivre. Or, sur terre, il n'y a pas trente-six moyens de faire le plein d'énergie.

Soit on fabrique son propre carburant à partir de la lumière du soleil. C'est ce que font les plantes, qui sont d'ailleurs les seules à être équipées pour cela.

Soit on mange des aliments qui sont ou ont été vivants. C'est ainsi que perdure le règne animal. Dans la mesure où tous les êtres vivants sont chimiquement plus ou moins identiques, n'importe quelle créature peut, directement ou indirectement, être le repas d'une autre créature.

Pour les animaux et les humains, ingurgiter des aliments ne représente que la moitié du travail ; une fois avalés, ceux-ci doivent ensuite être réduits en substances chimiques assimilables par l'organisme.

Ce processus étonnant est la **digestion**.

La décomposition des aliments

Ce sont les dents et la langue qui s'attaquent en premier aux aliments. Pendant que ces derniers sont mâchés et hachés menu, la salive s'en mêle pour les ramollir et les liquéfier. Celle-ci contient une substance appelée **enzyme** qui détruit l'amidon des aliments.

Une fois qu'ils ont été bien mastiqués, les aliments sont avalés et passent dans l'œsophage pour arriver dans l'estomac. Mais ils n'y atterrissent pas comme une pierre qui fait plouf en tombant dans un puits ! La nourriture avance grâce aux poussées successives des muscles de l'œsophage ; et on aurait beau faire le poirier que cela ne changerait rien à l'affaire !

Les aliments séjournent environ trois heures dans l'estomac où ils sont malaxés et imprégnés de sucs digestifs très acides. Une pellicule de mucus tapisse les parois de l'estomac et le protège de ces acides, car la moindre fissure deviendrait un trou en quelques heures.

Toutes les trois ou quatre minutes, l'orifice de sortie de l'estomac s'ouvre et laisse passer dans l'intestin grêle une petite quantité d'aliments maintenant réduits en bouillie claire.

L'**intestin grêle** est un long tuyau soigneusement replié dans l'abdomen. Il possède lui aussi des sucs digestifs qui interviennent à la fin de la décomposition des aliments. La progression des aliments est activée par les contractions des parois musculaires appelées **mouvements péristaltiques** ; c'est un peu comme lorsqu'on fait sortir de la pâte du tube dentifrice.

Toutes ces poussées et ces contractions font pas mal de bruit ; si vous collez votre oreille contre le ventre d'un copain, vous entendrez des borborygmes. La prochaine fois que l'on vous regardera de travers parce que votre estomac gargouille, dites-vous qu'un ventre en bonne santé n'est jamais silencieux !

La paroi interne de l'intestin grêle est tapissée de millions de petites aspérités appelées **villosités**, qui filtrent le passage des aliments liquéfiés pour en absorber les éléments utiles à l'organisme et les faire passer dans le sang. À ce stade, on peut vraiment considérer que la nourriture est assimilée par le corps.

Les résidus non digérés poursuivent leur cheminement le long du gros intestin où une partie de leur eau est absorbée par le sang. Les déchets deviennent alors de plus en plus solides, et atteignent finalement l'extrémité du gros intestin, le rectum, où ils séjournent un certain temps avant d'être évacués par l'anus.

Situez les différentes parties du tube digestif

Quand on demande aux gens de localiser leur estomac, ils montrent souvent leurs intestins, et révèlent ainsi leur piètre connaissance de l'anatomie. Apprenez donc à bien situer les différents éléments de votre appareil digestif.

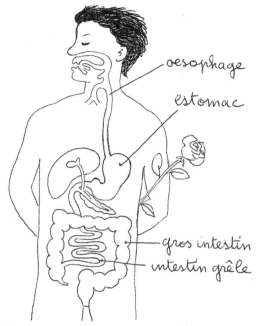

L'estomac *se trouve entre les côtes, un peu au-dessus de la taille.*

Parfois, on peut sentir son **œsophage** *quand on avale une gorgée d'eau très froide.*

Le **gros intestin** *se trouve juste au-dessous de la taille.*

Quant à **l'intestin grêle,** *il est exactement derrière le nombril. Écoutez les bruits qu'il fait après que vous avez mangé.*

L'appareil digestif

La décomposition des aliments est un processus très long qui se déroule en plusieurs étapes et à différents endroits de l'appareil digestif. Repérez-les sur le schéma de la page 165.

Le foie, le pancréas, la vésicule biliaire *sécrètent des substances facilitant la décomposition des aliments.*

L'intestin grêle *intervient à la dernière étape de la digestion et de l'absorption des aliments. Ce transit dure 8 heures, et s'effectue par un tube tapissé de poils et long de 6 mètres environ.*

Le gros intestin *récupère les résidus alimentaires, tels que les fibres des végétaux (fils de céleri par exemple), les graines ou vieilles cellules de sang. Il recycle également les liquides qu'il a absorbés.*

La bouche *est l'orifice d'entrée des aliments dans l'appareil digestif. Elle mastique les aliments, et décompose l'amidon qu'ils contiennent.*

L'œsophage. *Tube musculaire qui peut faire transiter les aliments vers l'estomac en 7 secondes.*

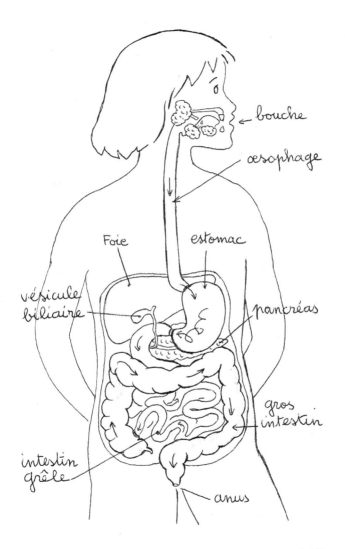

bouche

œsophage

Foie

estomac

vésicule
biliaire

pancréas

gros
intestin

intestin
grêle

anus

L'estomac. *Imprègne la nourriture d'acides et la brasse pour en extraire les protéines. Il peut contenir jusqu'à 1,5 litre d'aliments liquéfiés, et les garde pendant 3 à 4 heures.*

L'anus *est l'orifice par lequel les déchets alimentaires sont évacués du tube digestif.*

Les enzymes

Notre organisme contient environ 700 sortes d'enzymes. L'une d'entre elles s'appelle l'**amylase** ; elle est sécrétée par la bouche et transforme l'amidon en maltose. Les enzymes ont pour fonction de décomposer les aliments, et de contrôler l'apport énergétique à l'organisme. Ainsi, une tranche de gâteau au chocolat contient assez de calories pour faire monter la température d'une personne de 50 kilos à 47 °C. Une telle chaleur anéantirait le cerveau si les enzymes n'étaient pas là pour la faire baisser.

Si vous passez la langue à côté de la deuxième molaire de la mâchoire supérieure, vous pouvez sentir une petite bosse : c'est une **glande salivaire**

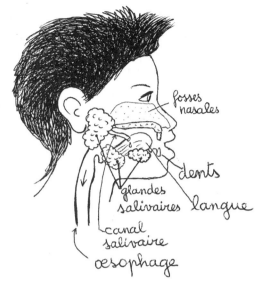

Légende de l'illustration : fosses nasales, dents, glandes salivaires, langue, canal salivaire, œsophage

Chimie d'un déjeuner

Vous seriez peut-être plus heureux si vous pouviez vous nourrir uniquement de desserts, mais votre corps, lui, ne le serait pas ! Pour rester en bonne santé, il a besoin d'aliments variés.

Les aliments se classent en trois catégories chimiquement différentes. Chacune de ces catégories a un rôle particulier à jouer dans le bon fonctionnement de l'organisme.

167

— Les **glucides** sont notre principal carburant. Les aliments qui en possèdent sont à base de féculents et de sucres, comme les corn-flakes, les gâteaux, le pain, les spaghettis ou les pommes de terre.

— Les **protéines** assurent la reconstitution et la croissance des tissus. On en trouve dans tous les aliments d'origine animale, tels que les viandes, les œufs, le fromage, mais aussi dans les légumes secs et les céréales.

— Les **lipides** (les matières grasses) procurent des calories. Elles sont présentes dans le beurre, la crème fraîche ou la margarine.

Certains aliments appartiennent à plusieurs de ces catégories. Ainsi, le beurre de cacahuète contient à la fois des matières grasses et des protéines, et les crèmes glacées sont faites de graisses, d'hydrates de carbone et de protéines.

Expériences chimiques culinaires

Regroupez vos aliments préférés selon les catégories ci-dessus, et faites les expériences chimiques suivantes dans votre cuisine.

Les graisses *(lipides)*

• *Découpez des carrés dans du papier kraft.*
• *Frottez dessus différents aliments et laissez-les sécher.*
• *Si ces aliments contiennent des matières grasses, le papier devient translucide.*

Les féculents *(glucides)*

• *Achetez de la teinture d'iode chez le pharmacien.*
• *Versez une goutte de teinture d'iode sur un aliment quelconque.*
• *Si celui-ci contient des féculents, la teinture d'iode y laissera une tache noire.*

Les protéines

Pour réaliser cette expérience, il vous faut du matériel de chimie. Demandez à un adulte de vous aider.
• *Mélangez une petite quantité d'aliments à un soluté à base de potassium.*
• *Ajoutez quelques gouttes d'une solution diluée de sulfate de cuivre.*
• *Si l'aliment expérimenté contient des protéines, il virera au rose ou au bleu.*

Vos expériences terminées, n'oubliez pas de jeter ces aliments à la poubelle !

L'énigme du sphincter

Les intestins se terminent par un orifice qu'on appelle l'**anus**. Cet anus se resserre par un anneau de muscles, le **sphincter**. Celui-ci s'ouvre en se relâchant, et se ferme en se contractant, un peu comme le lien coulissant qui serre et desserre la capuche d'un imperméable.

Mais nous avons aussi des sphincters dans les yeux, qui nous permettent de les fermer complètement ou seulement à demi pour laisser pénétrer plus ou moins de lumière. Enfin, nous avons également des sphincters tout autour de la bouche. Ce sont en quelque sorte les muscles des baisers.

Lorsque la partie inférieure des intestins est pleine, des nerfs sensitifs en avertissent le cerveau. Vous allez alors, au moment voulu, relâcher les sphincters de votre anus et vider vos intestins.

Déchets solides

Il y a des aliments que l'on mange et qui ne peuvent pas être décomposés par les sucs digestifs. Tout ce qui n'est pas digéré chemine à travers l'appareil digestif, et en est finalement expulsé sous la forme de déchets solides.

Le nom savant qu'on leur donne est **fèces** ou encore selles. Celles des humains sont constituées pour un quart de bactéries intestinales mortes. Elles contiennent aussi des sucs digestifs, de l'eau, et des résidus non digérés par l'organisme. Ces résidus peuvent être de la cellulose, sorte de fibre végétale qui ressemble à des filaments de céleri en branche, ou bien des choses qu'on a avalées sans le vouloir, comme de la terre, du chewing-gum ou des rognures d'ongles.

Les bactéries de la vie

Nos intestins abritent toute une foule de **bactéries**. Ce sont de minuscules créatures unicellulaires que l'on ne peut voir qu'avec un microscope les grossissant 900 fois. Souvent, on entend dire que seules les bactéries mortes sont inof-

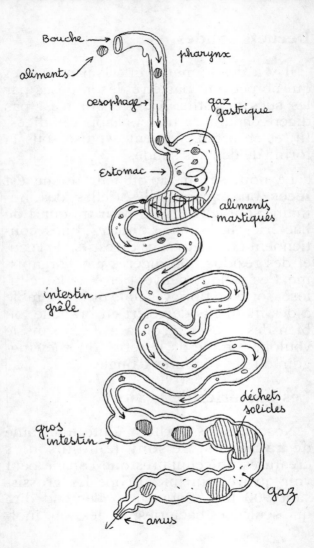

Bouche

aliments

pharynx

oesophage

gaz
gastrique

Estomac

aliments
mastiqués

intestin
grêle

déchets
solides

gros
intestin

gaz

anus

172

fensives. En réalité, très peu d'entre elles sont réellement dangereuses.

Les bactéries qui se trouvent à l'intérieur de notre corps nous sont, au contraire, extrêmement bénéfiques. Il semblerait même qu'en dévorant les résidus de la nourriture dans les intestins, elles sécrètent des vitamines K, B12, B1 et B2, toutes très utiles à l'organisme. Les bactéries peuvent également digérer de petites quantités de cellulose et ajouter quelques calories à notre ration quotidienne.

Les bactéries ne se trouvent pas que dans l'appareil digestif, elles sont aussi présentes sur toute la surface de notre corps, ainsi que dans les cavités, les orifices et dans le moindre repli de la peau. Il y a même beaucoup plus de bactéries sur une seule personne qu'il n'y a d'êtres humains sur la planète ! D'ailleurs, la masse bactérienne d'un corps humain correspond à la moitié de son poids. Mais il ne faut pas se laisser impressionner par cela, puisque les animaux élevés dans un environnement exempt de tout microbe sont en général plus maigres et plus fragiles que les autres. En fait, nous vivons en parfaite harmonie avec nos bactéries.

Gaz naturel

Pendant qu'elles décomposent les aliments, les bactéries produisent du gaz méthane. À mesure que la nourriture s'entasse dans le gros intestin, les bactéries prolifèrent et fabriquent toujours plus de gaz. Certains aliments comme les haricots secs, les choux ou les choux de Bruxelles ne sont pas très digestes, et laissent pas mal de résidus que les bactéries vont pouvoir dévorer durant le transit intestinal. Ce genre de légumes a toujours été réputé pour produire beaucoup de gaz...

La cuisine au gaz, c'est naturel

Cela va peut-être vous surprendre, mais le gaz naturel n'est rien d'autre que ça ! En fait, le méthane qui alimente la gazinière de votre cuisine résulte de la décomposition de très vieux végétaux par des bactéries qui ressemblent à celles des intestins. C'est, en quelque sorte, un pet souterrain provoqué par des salades préhistoriques...

Toutes les bactéries de notre corps pourraient remplir l'équivalent d'une boîte de conserve. Et si l'on retirait celles qui se logent dans les intestins, les autres tiendraient dans un dé à coudre.

Cas particuliers

Tiraillements d'estomac. Quand on n'a rien mangé pendant 8 à 10 heures, la faim commence à se faire sentir en provoquant des contractions d'estomac. En effet, quand celui-ci n'est pas rempli de nourriture, il est plein de gaz. Les contractions compriment alors les gaz contre ses parois, et provoquent des crampes et des gargouillis.

Vomissements. Quand on a fait un repas trop copieux ou irritant pour l'intestin, l'organisme s'en débarrasse en nous faisant vomir. Des aliments ayant déjà atteint l'extrémité de l'intestin grêle peuvent sans problème remonter jusqu'à la bouche et être expulsés. Pour cela, il faut qu'ils soient poussés par des contractions inverses à celles qui poussent la nourriture vers l'estomac. Dès que l'on a un problème de digestion, le cerveau en est averti par une sensation de nausée. Dans ce cas, le clapet de la trachée se ferme, et l'estomac se relâche. Puis de fortes contractions des muscles de l'abdomen et du diaphragme font remonter les aliments vers le haut de l'appareil digestif, et nous font vomir.

Incroyable mais vrai !

— Une personne consomme en moyenne 1,8 kg de nourriture par jour, soit 657 kilos par an !

— Chaque jour, notre bouche produit environ 500 millilitres de salive. Au total, l'organisme sécrète plus de 7 litres de sucs digestifs divers.

— L'appendice est une sorte d'excroissance de l'intestin. Les herbivores y font fermenter l'herbe qu'ils ont ingurgitée.

9. Les reins,
machine à laver le sang

Après le cerveau, les reins sont sans doute un des organes les plus complexes que nous ayons. Il absorbent plus d'un litre de sang à la minute et débarrassent l'organisme de ses déchets pour que celui-ci puisse poursuivre ses fonctions vitales.

Les reins sont deux filtres contenant chacun plus d'un million de minuscules tuyaux qui épurent le sang en retenant ses déchets. Puis ceux-ci sont transformés en urine et sont ensuite expulsés du corps par la vessie.

L'intérieur des reins

Le sang arrive d'abord jusqu'aux reins par une grosse artère, puis il traverse des vaisseaux de plus en plus petits, les plus fins étant des pelotes de capillaires appelés **glomérules**. Le flux sanguin ressemble à un fleuve d'abord très puissant dont le cours se disperserait ensuite en d'innombrables méandres.

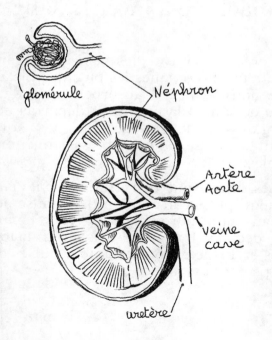

Chaque glomérule est enfermé dans une capsule à deux fines membranes. Lorsqu'il s'en approche, le sang ayant atténué sa pression a le temps de traverser la première membrane. Celle-ci retient les plus grosses particules, telles les cellules sanguines, et ce qui reste du sang est ensuite diffusé à travers la capsule par des petits tubes que l'on appelle des **néphrons**.

Ce sont les néphrons qui se chargent du nettoyage. Les particules utiles à l'organisme sont réabsorbées par le sang, et le reste est ensuite évacué vers la vessie. Quand on dissèque le rein d'un agneau, on remarque que tous les néphrons sont situés au centre. C'est là que débouchent les déchets sous la forme d'urine.

Quand l'urine est chassée des reins, elle passe par un tuyau, l'uretère, qui débouche dans la vessie. On sent très bien quand celle-ci est pleine. Chaque fois que l'on urine, on élimine en une seule fois toute une accumulation de déchets.

L'urine

On est souvent un peu gêné de parler d'urine. Pourtant, ailleurs que chez nous, les gens ne faisaient pas tant de manières, et n'hésitaient pas à l'utiliser. En effet, de nombreuses civilisations s'en servaient autrefois comme savon. Certains Indiens d'Amérique se rinçaient la bouche avec. En Amérique du Sud, l'urine se sirotait même comme une boisson rafraîchissante...

Vous trouvez ça un peu choquant, n'est-ce pas ? Mais tous ces gens pour qui l'urine est un liquide utile pourraient eux aussi s'étonner de notre réaction...

Qu'est-ce que l'urine exactement ?

Cela va peut-être vous étonner, mais l'urine fraîche d'une personne en bonne santé est plus propre que la salive, plus propre que nos mains, ou plus propre que le sandwich thon-crudités que vous avez mangé à midi.

En effet, l'urine fraîche ne contient aucune bactérie. Elle est composée de 95 % d'eau, de 5 % d'urée, c'est-à-dire de résidus de protéines décomposées, et du trop-plein de substances utiles à l'organisme qui ont été filtrées par le sang.

L'urine fraîche a une odeur très particulière, d'ailleurs pas forcément désa-

gréable. Elle ne commencera à être enva-
hie par les bactéries et à se décomposer
que si elle reste à l'air libre. À ce moment-
là, l'urée qu'elle contient va se transformer en ammoniaque, et dégagera une
odeur âcre qu'on retrouve aussi dans les
nettoyants pour vitres.

L'évacuation des liquides

Avez-vous une idée de la capacité de
votre vessie, ou du nombre de litres de
liquide qui la traversent chaque jour ?
Suivez bien les instructions, et vous saurez en combien de temps vos reins filtrent toute la limonade que vous avez
bue.

*Urinez dans un verre gradué. Reportez
ensuite la quantité dans un tableau. Videz
le verre et rincez-le.*

*• Attendez que votre vessie soit vraiment
pleine pour faire l'expérience. Quelle est
votre capacité maximale ?*

*• Faites le total de l'urine évacuée en une
journée. Poursuivez l'expérience plusieurs
jours. Retrouvez-vous à peu près les
mêmes quantités ?*

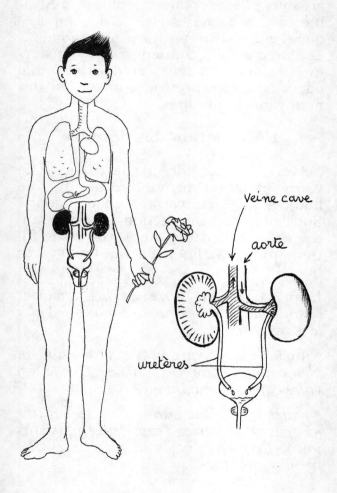

Veine cave

aorte

urètères

Situez vos reins

Si on traçait une ligne horizontale traversant le dos au niveau des coudes, les reins se trouveraient sur cette ligne, de part et d'autre de la colonne vertébrale. Ils sont protégés par les dernières côtes, et recouverts de plusieurs couches de graisse.

Ce n'est pas un hasard si nos reins sont aussi bien protégés. S'ils ne fonctionnaient plus, nous serions empoisonnés par nos propres déchets en quelques heures.

Heureusement, la nature a bien fait les choses. Si l'un des deux reins ne marche plus, on peut malgré tout très bien vivre avec celui qui reste. Certaines personnes ont même survécu avec seulement la moitié d'un rein.

La vessie

La vessie est une sorte de poche musculaire située au centre et en bas de l'abdomen. Si vous voulez sentir la vôtre, retenez-vous d'uriner pendant un bon moment. Vous verrez bien qu'en palpant la région abdominale, vous la localiserez très facilement.

Les vessies et les ballons de baudruche ont un point commun : ils sont extensibles, mais leur capacité n'est pas illimitée. La vessie d'un adulte peut contenir jusqu'à un litre de liquide.

Des sphincters entourent l'orifice de la vessie et la maintiennent fermée. Lorsque cet anneau de muscles se relâche, le liquide s'en échappe, et la vessie rétrécit.

La vessie est percée de trois orifices, et se remplit constamment par deux tubes reliés à chacun des deux reins. Elle est aussi pourvue d'un système d'alarme qui prévient quand elle est pleine. Ses parois musculeuses la compriment alors jusqu'à ce qu'elle soit complètement vidée.

Signaux de la vessie

Les parois de la vessie sont tapissées de terminaisons nerveuses appelées récepteurs extensibles. Quand la vessie se remplit et que ses parois se dilatent, les cellules nerveuses envoient un signal au cerveau pour lui dire que le réservoir est plein et qu'il faudrait songer à le vider. Si l'on est très occupé, on décide de ne pas tenir compte du message. L'envie d'uriner disparaît alors pendant une heure ou deux, mais elle finit toujours par revenir, et se fait de plus en plus pressante à mesure que la vessie arrive à saturation. Finalement, on file aux toilettes pour se soulager.

Incroyable mais vrai !

– Environ 180 litres de sang sont pompés chaque jour par nos reins, soit l'équivalent de 25 % du sang pompé par le cœur, ou du volume du sang nécessaire pour irriguer une masse musculaire de 50 kilos.

– Chaque rein est percé d'un million de petits tubes qui, mis bout à bout, mesurent environ 6,5 kilomètres.

Dissection d'un rein

Quand on dissèque un rein, il s'en dégage une très forte odeur d'urine et de sang. Si cela ne vous rebute pas, vous pouvez demander au boucher de vous donner des reins d'agneau qui, par leur taille et leur forme, sont assez semblables aux nôtres.

• *Coupez le rein en deux dans le sens de la longueur. Le boucher peut le faire pour vous.*

• *Examinez-le de près, et vous verrez les néphrons, particules filandreuses.*

• *En soulevant la membrane légèrement colorée avec une sonde, vous pourrez distinguer les tubules qui reçoivent le liquide des néphrons, et le font ensuite sortir du rein par l'uretère.*

10. Les yeux,
nos fenêtres sur le monde

« Celui-là, il n'a pas les yeux dans sa poche ! » Cette expression, vous avez dû l'entendre souvent, mais est-ce que vous avez déjà pour autant réfléchi à l'emplacement de vos yeux ?

Et avez-vous déjà re-marqué que les animaux n'avaient pas les yeux situés au même endroit que nous ?

Les humains et les singes ont un visage plat, avec les deux yeux rapprochés.

Les animaux avec un œil de chaque côté de la tête ont l'avantage de voir ce qui se passe derrière eux.

Du coup, on se dit que c'est vraiment du gaspillage que d'avoir les deux yeux sur le devant du visage. Si on pouvait déplacer un œil sur le côté, ou carrément derrière la tête, on verrait certainement bien plus de choses.

Pourtant cette vision à deux yeux, que l'on appelle vision binoculaire, permet aux humains et aux singes de voir en trois dimensions.

Conclusion, ce que l'on perd en vision latérale, on le compense largement au niveau du relief. C'est grâce à cette faculté que les singes peuvent se balancer de branche en branche, et que nous pouvons attraper un ballon ou conduire une voiture.

Le relief

La faculté de percevoir la profondeur, c'est pouvoir situer un objet dans l'espace.

Quand on fixe son regard sur un objet, chaque œil se mobilise grâce à tout un réseau de muscles appropriés.

Les deux yeux voient la même chose, mais d'un angle légèrement différent.

Informé par les muscles sur la position de chaque œil, le cerveau peut alors évaluer la distance qui nous sépare d'un objet.

Fixez votre regard sur le ballon

Le test suivant va vous permettre de mesurer votre adresse en attrapant une balle un œil bandé. Pour cela, il vous faut une balle de ping-pong, un bandeau, et un ami coopérant. Vous pourrez ainsi juger de l'importance du travail d'équipe de vos deux yeux.

• *Vous avez droit à 15 essais pour attraper le ballon les yeux ouverts.*

• *Même chose, mais cette fois avec un œil bandé.*

• *Inversez les rôles avec votre partenaire. À vous d'envoyer la balle.*

• *Notez bien vos différents scores. Si l'exercice vous semble trop facile, essayez d'attraper la balle d'une seule main.*

Je ne crois que ce que je vois

« Je l'ai vu de mes propres yeux... » est une expression courante. Et pourtant, nos yeux peuvent aussi mentir. L'expérience proposée ci-dessous va vous le prouver. Elle repose sur le fait que chaque œil a une vision légèrement différente du monde. Ainsi, vous pouvez transformer deux doigts en saucisse flottante.

• *Tenez vos deux index en les mettant bout à bout sur une ligne horizontale, et en les maintenant à 10 cm de vos yeux. Si vous fixez votre regard sur un objet au loin, vous verrez apparaître une drôle de saucisse.*

Un trou dans la main

On ne voit pas toujours mieux avec deux yeux qu'avec un seul œil. Parfois, deux images peuvent donner une vision confuse et floue de la réalité. Heureusement, notre cerveau a appris à ignorer les images contradictoires, si bien que ce que nous voyons est une version déjà préalablement « harmonisée » des messages que le cerveau a reçu de nos yeux. Voilà comment voir à travers votre main.

• *Roulez une feuille de papier en forme de tube.*

• *Tenez-le devant votre œil comme si c'était un télescope.*

• *Placez votre autre main devant votre œil libre (environ à 10 cm). Si vous avez bien suivi les instructions, vous aurez l'impression de voir un trou dans votre main.*

Vision en stéréo

Avec ce test, vous aurez une idée plus précise de ce que vos yeux voient séparément, et aussi de ce qu'ils voient ensemble.

• *Découpez un rectangle de 12,5 cm x 20 cm dans du carton, et percez-y deux trous pour les yeux.*

• *Faites tenir le rectangle à la verticale sur une table.*

• *Regardez à travers les trous en vous bouchant l'œil gauche, puis le droit, et enfin* avec les deux yeux. Dessinez chaque fois ce que vous voyez.

• Combien d'images voyez-vous ?

• Dans quel cas de figure obtenez-vous la combinaison des deux images ?

Les yeux

Quand on dit de quelqu'un qu'il a les yeux dans le vague, des yeux de merlan frit, des yeux de lynx, c'est plus à l'expression de son visage qu'à ses yeux que l'on fait allusion. Si l'on sortait plusieurs paires d'yeux de leurs orbites et qu'on les pose sur un plateau, rien, à part leur couleur, ne les distinguerait les uns des autres.

Le terme « globe oculaire » est tout à fait approprié car, sortis de leurs orbites, les yeux ont réellement la forme d'un globe. Ces boules, de la taille d'un gros calot, sont remplies d'une gelée claire. Elles sont recouvertes aux trois quarts d'une enveloppe fine mais solide, la **sclérotique**, qui est en fait le « blanc » de l'œil.

À l'avant, cette enveloppe quasi circulaire est percée d'un trou qui laisse pénétrer la lumière, lequel trou est recouvert d'une pellicule transparente appelée **cornée**.

La cornée est une sorte de lentille convexe qui fixe la lumière au milieu de l'œil. Si vous fermez un œil et appuyez légèrement sur la paupière, vous sentirez cette forme saillante. Faites-la bouger de gauche à droite avec le doigt.

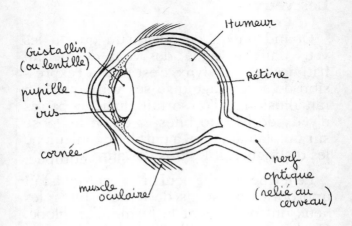

Cristallin (ou lentille)

pupille

iris

cornée

Humeur

Rétine

nerf optique (relié au cerveau)

muscle oculaire

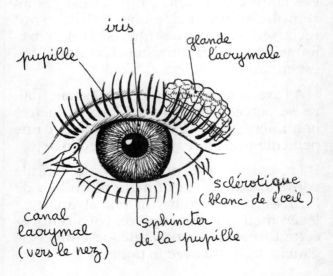

iris

pupille

glande lacrymale

sclérotique (blanc de l'œil)

canal lacrymal (vers le nez)

sphincter de la pupille

194

La pupille est le point noir au centre de l'œil que la lumière traverse pour pénétrer à l'intérieur. La plupart du temps, elle est minuscule, mais dans certaines circonstances elle peut s'agrandir et atteindre la taille d'un bouton de chemise.

Comment ça marche ?

Comme toute fenêtre bien équipée, l'œil a un rideau qu'il peut ouvrir ou fermer selon l'intensité de la lumière. Ce rideau s'appelle l'**iris**. Sous l'action d'un tas de muscles minuscules, cet anneau coloré s'agrandit ou rétrécit automatiquement en fonction de la luminosité ambiante. À l'intérieur de l'iris, il y a un disque, le **cristallin**. Celui-ci est si transparent que l'on ne remarque même pas qu'il recouvre la pupille. Il ressemble à la lentille au centre d'une loupe, mais en plus petit. Avec la cornée, il absorbe la lumière et concentre ses rayons sur une zone photosensible située à l'arrière de l'œil.

Cette zone photosensible est la **rétine**. Elle est recouverte de millions de cellules que l'on appelle cônes et bâtonnets, et dont le rôle est de convertir les rayons lumineux en signaux envoyés au cerveau par l'intermédiaire du **nerf optique**.

Regardez-vous bien dans les yeux

En faisant les exercices suivants, vous pourrez vous familiariser avec les différentes parties de vos yeux.

La cornée. *De forme bombée, c'est la couche la plus distante de l'œil. Fermez une paupière et posez un doigt dessus. Tournez votre œil d'un coin à l'autre. La protubérance que vous sentez sous votre doigt est la cornée.*

L'iris. *Si la luminosité est très forte, l'iris ne laisse filtrer que très peu de rayons lumineux. Mais s'il fait sombre, il se dilate et laisse entrer jusqu'à 40 fois plus de lumière.*
Aidez-vous d'un miroir grossissant.
Restez quelques minutes dans la pénombre, puis exposez vos yeux à une lumière très forte. Vous verrez votre iris se rétracter.

Le cristallin. *Pour fixer le regard sur un point précis, la lentille s'affine ou au contraire s'épaissit. Vous pouvez sentir ses mouvements d'accommodation.*

Position du cristallin : sur un point éloigné ou sur un point rapproché.

Fixez un de vos doigts à une distance de 20 cm. Puis rapprochez-le sans le quitter des yeux. Sentez-vous la tension de votre œil ?

Le point aveugle

Saviez-vous que vous êtes parfois aveugle ? En effet, il n'y a pas de cellules sensorielles au point de jonction du nerf optique et de la rétine.

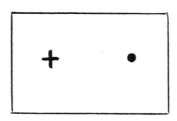

- *Cachez votre œil gauche.*
- *Fixez la croix avec votre œil droit.*
- *Rapprochez lentement la page.*

Dissection d'un œil

Si le fait d'avoir un regard fixé sur vous pendant que vous travaillez ne vous dérange pas, vous trouverez cette dissection d'œil passionnante. Se procurer un œil de mouton ou de bœuf risque d'être un peu compliqué, mais cela en vaut la peine. Si votre boucher n'en a pas, essayez à l'abattoir.

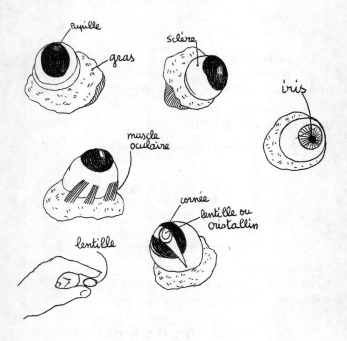

• *En examinant l'œil de très près, vous constaterez que le globe oculaire repose dans une masse de muscles et de graisse qui le protège et lui donne sa mobilité. Juste derrière se trouve le nerf optique.*

• *Découpez très soigneusement un peu de chair du globe oculaire. Remarquez comment les muscles s'y rattachent.*

• *Faites une entaille tout autour de la cornée. Il s'en échappe un liquide appelé humeur aqueuse. Retirez le cristallin situé juste sous l'iris.*

• *Incisez l'œil de gauche à droite de façon à voir l'iris.*

• *Élargissez l'incision afin de voir la rétine à l'arrière de l'œil. Retirez le corps vitré et repérez le fameux point aveugle relié au nerf optique.*

L'œil est un appareil photo

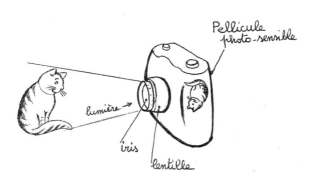

À plusieurs points de vue, l'œil est comparable à un appareil photo qui laisse passer la lumière dans une chambre noire en traversant une lentille, et se fixe sur une pellicule sensible.

Mais la comparaison s'arrête là, car contrairement à l'appareil photo, les cellules sensorielles de l'œil enregistrent deux images en même temps. D'une certaine façon, on peut dire que vous voyez deux fois du même œil.

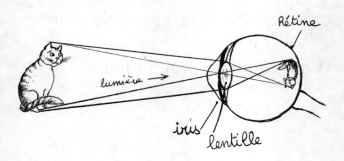

La rétine photosensible est constituée de deux sortes de cellules réceptrices, les cônes et les bâtonnets.

Les bâtonnets perçoivent le noir et le blanc ainsi que les rayons lumineux sombres ou clairs. Ils sont extrêmement sensibles à la lumière.

Les cônes, eux, perçoivent la couleur, et ont besoin de beaucoup plus de lumière que les bâtonnets pour être activés.

Les cônes et les bâtonnets ne sont pas dispersés au hasard sur la rétine comme des pépites de chocolat sur un biscuit. La place qu'ils occupent est extrêmement précise, et détermine en partie notre vision du monde.

Les cellules photosensibles

La rétine occupe une surface ayant à peu près la taille d'un timbre-poste, et est située tout à l'arrière de l'œil.

Les bâtonnets qui la recouvrent sont dispersés un peu partout, mais surtout sur ses bords extérieurs.

Les cônes, eux, sont plutôt concentrés au centre de la rétine, et plus particulièrement dans un petit creux appelé **tache jaune**.

Cette tache jaune se trouve juste en face du cristallin. C'est cet endroit précis de la rétine qui sera atteint par les images du monde extérieur. La multitude de cellules réceptrices permet de voir une image très précise et détaillée qui sera transmise au cerveau. Quant à la netteté et à la profondeur, elles sont données par les cellules photosensibles situées dans la tache jaune.

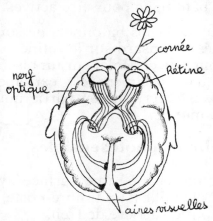

Les informations enregistrées par les cônes et les bâtonnets sont transmises au cerveau qui en fait la synthèse, et les reconstitue en une seule image. Mais selon la lumière, notre vision sera principalement déterminée par les cônes, ou au contraire par les bâtonnets.

Mobilité du regard

Vous pensez probablement avoir une vision du monde très étendue, et pourtant, vous ne pouvez fixer votre regard que sur une seule chose à la fois. L'exercice suivant va vous le prouver :

• Ouvrez ce livre à n'impor-te quelle page. Fixez un mot au hasard. Sans bouger votre regard, essayez de lire les mots qui l'entourent.

• À présent, fixez un objet dans la pièce. Sans bouger les yeux, essayez de détailler ce qu'il y a autour.

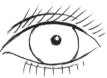

• Quelle étendue votre regard couvre-t-il d'un seul coup ?

Vision nocturne

Si les bâtonnets perçoi-vent mal les détails, ils sont en revanche imbat-tables pour voir la pé-nombre. C'est grâce à eux que nous arrivons à ne pas nous cogner aux objets dans le noir. Même si vous faites plus volon-tiers confiance à vos yeux en plein jour, l'expérience suivante vous fera chan-ger d'avis.

• La nuit, repérez une étoile

à peine visible et fixez-la. (Observez le ciel à partir d'un endroit plongé dans l'obscurité.)

• *Maintenant, regardez-la du coin de l'œil. Que remarquez-vous ?*

Vision latérale

Quand on regarde du coin de l'œil, les choses ont un contour un peu flou. C'est ce que l'on appelle la **vision périphérique**. Testez-en l'étendue.

• *Tendez les bras vers l'arrière, et ramenez-les doucement vers l'avant. Immobilisez-les dès que vous commencez à voir vos doigts. Posez un objet par terre en guise de repère. Mesurez ensuite l'amplitude de votre champ visuel. Est-il différent quand vous remuez les doigts ?*

• *Testez votre vision périphérique des couleurs. Découpez des carrés de papier rouge, jaune, bleu, noir, blanc et vert. Dessinez un arc de cercle sur une feuille de papier.*

Demandez à un copain de se placer derriè-re vous et de brandir deux carrés de papier de la même couleur. Reportez sur cet arc les limites de votre perception des couleurs.

Yeux bleus d'amoureux ou marron de cochon

La couleur des yeux joue un rôle d'écran protecteur.

Un iris noir ou marron protège mieux des rayons lumineux, c'est pour cela que les gens originaires de pays très enso-leillés ont les yeux foncés.

En revanche, les gens aux yeux clairs viennent souvent de pays nordiques.

En général, les bébés naissent avec les yeux bleus. La couleur définitive sera dé-terminée par leur patrimoine génétique.

Les protections des yeux

Avant notre naissance, nos yeux n'étaient que deux petits bouts de matière cervicale à l'avant de la tête. Situés au milieu du visage, ils sont dangereusement exposés.

Heureusement, les yeux bénéficient de plusieurs protections :

Seule une infime partie du globe oculaire est exposée. Celui-ci repose dans une cavité osseuse du crâne appelée l'orbite. Vous pouvez en sentir les contours sous vos doigts.

L'œil est protégé par les cils et les sourcils.

La paupière est une espèce de clapet qui se ferme à la moindre menace et protège l'œil de toute intrusion.

Enfin, le sel contenu dans les larmes nettoie la surface de l'œil des impuretés et des bactéries qui sont ensuite évacuées grâce aux battements des paupières.

Cas particulier

Voir 36 chandelles. Les cellules photosensibles qui constituent la rétine peuvent être stimulées par la pression. En appuyant légèrement du bout des doigts sur nos yeux fermés, on voit parfois des sortes d'étincelles. Le même phénomène peut aussi se produire quand on reçoit un coup violent sur la tête.

Incroyable mais vrai !

– Les humains ont, dans le coin interne de l'œil, un petit bout de chair qui est le reste d'une seconde paupière que nous avions autrefois. Chez certains animaux, cette paupière se ferme du centre vers l'extérieur de l'œil.

– Les animaux qui n'ont pas une vue « stéréophonique » n'ont pas besoin de voir une même image avec leurs deux yeux. C'est pourquoi ceux-ci sont indépendants l'un de l'autre, et ne regardent pas forcément dans la même direction.

– Dans de bonnes conditions, l'œil humain est capable de percevoir jusqu'à 10 millions de surfaces colorées différentes.

11. Les oreilles, récepteurs des vibrations extérieures

Le son est une vibration qui se déplace dans l'air, dans l'eau ou sous la terre. Peut-être avez-vous déjà ressenti ces vibrations, par exemple en passant à côté d'une machine dont le moteur fait trembler le sol. Lorsqu'elles atteignent nos oreilles, les vibrations deviennent sonores.

Comment les oreilles entendent

Quand on parle d'oreille, on pense surtout à ce que l'on en voit de l'extérieur. Pourtant, c'est ce qui est caché à l'intérieur qui est le plus essentiel. Ces deux

208

morceaux de chair arrondis collés de chaque côté de la tête, ainsi que leur orifice constituent l'oreille externe. Leur rôle est de collecter les vibrations sonores qui pénètrent directement dans le conduit auditif.

Certains animaux, comme les ânes ou les lapins, ont de grandes et magnifiques oreilles qui peuvent bouger et adopter la meilleure position pour entendre un son particulier.

Comparées aux oreilles de ces animaux, les nôtres sont ridiculement petites, et si nous parvenons à les remuer, c'est tout au plus d'un millimètre. Certains savants pensent qu'au fil du temps nos oreilles ont rapetissé au profit de la vision qui est devenue notre sens le plus développé.

Lorsqu'un son est intercepté par le **pavillon**, c'est-à-dire par l'oreille externe, il poursuit son chemin à travers le conduit auditif. Les ouvertures de ces deux tunnels ressemblent à des caves obscures de chaque côté du crâne.

Le tympan est une fine membrane située tout au bout de ce canal, et tendue comme la peau d'un tambour. Lorsque des ondes sonores heurtent cette membrane, elle se met à vibrer.

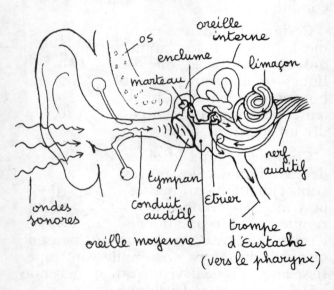

Ces vibrations sont alors transmises à trois petits os : elles traversent d'abord le **marteau** qui est rattaché au tympan, puis l'**enclume** et enfin l'**étrier**. Le rôle de ces différents relais est d'accentuer les sons très doux, et au contraire d'atténuer ceux qui sont forts.

Une fois qu'elles ont traversé l'étrier, les vibrations sont transmises au limaçon, une sorte de tube en forme d'escargot situé à l'intérieur de l'os et rempli de liquide. Celui-ci contient des milliers de cellules réceptrices pourvues de cils qui réagissent aux vibrations en envoyant des signaux nerveux au cerveau qui lui-même les percevra comme un son.

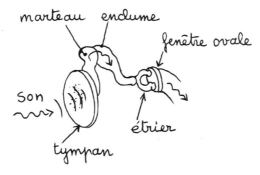

Les ultrasons

Les chiens perçoivent des sons suraigus que les humains sont incapables d'entendre. Il y a ainsi beaucoup de chants d'oiseaux et de sons émis par les chauves-souris que nos oreilles n'entendent pas. Regardez attentivement le tableau ci-dessous et voyez quelles sont les fréquences sonores qui se recoupent.

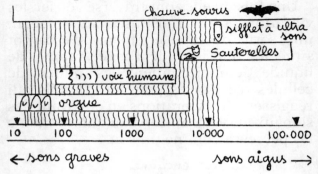

Le registre des sons perceptibles par les humains se situe entre 20 et 16 000 cycles par seconde, et correspond aux hachures sur le tableau.

La machine à voir les sons

Grâce à une simple boîte de conserve, vous pourrez comprendre ce qu'est une vibration et comment se transmet le son de votre voix. La membrane qui ferme la boîte fonctionne un peu comme votre tympan.

• *Découpez le dessus et la base d'une boîte de conserve.*

• *Découpez un ballon de baudruche, ten-*

212

dez-le bien sur le dessus de la boîte, et fixez-le avec un élastique.

parcelle de miroir

• Collez une petite parcelle de miroir brisé sur la membrane légèrement décalée au centre.

• Appliquez le fond ouvert de la boîte sur votre bouche, et placez-vous de façon que le miroir puisse capter la lumière et la projeter sur un mur non éclairé. Ensuite, émettez un son et observez le point lumineux sur le mur.

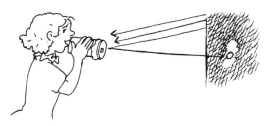

• Quelle différence constatez-vous selon que vous émettez des sons graves ou aigus ?

Exploration du conduit auditif

Vous pouvez examiner votre conduit auditif ou bien celui d'un ami. Si celui-ci n'est pas trop sinueux, une lampe de poche suffira. Sinon, munissez-vous d'un otoscope, sorte de petit entonnoir que les médecins utilisent pour examiner les oreilles. Vous en trouverez dans un magasin de matériel médical ; ou bien demandez à votre docteur de vous en prêter un.

Il existe des otoscopes de tailles différentes. Choisissez-en un pour des oreilles d'enfant.

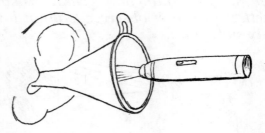

Utilisez une mini-torche électrique. Sinon fixez un cône de papier au bout d'une torche ordinaire pour obtenir un faisceau lumineux très fin.

AYEZ DES GESTES DÉLICATS !

• *Jetez un premier coup d'œil sans utiliser l'otoscope. Tirez légèrement le lobe vers le haut afin de redresser le conduit auditif. S'il est obstrué de cérumen, demandez à votre ami de se nettoyer les oreilles afin de pouvoir poursuivre votre examen.*

• *Placez délicatement l'otoscope dans l'oreille de sorte que vous puissiez éclairer le conduit avec la torche.*

L'intérieur du conduit est humide et rose, et le tympan est gris nacré.

• *Soyez patient. Le tympan est parfois difficile à trouver. Si vraiment vous ne voyez rien, renouvelez l'expérience sur quelqu'un qui aura un conduit auditif plus rectiligne.*

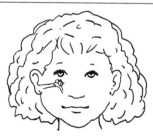

La trompe d'Eustache

Le tympan est une partie très fragile de l'appareil auditif. Il est extensible jusqu'à un certain point, mais s'il subit une pression trop forte, il risque d'éclater.

Comme presque tous les dispositifs fragiles de notre corps, le tympan est muni d'un système de sécurité qui évite les catastrophes. Ce système de sécurité est la **trompe d'Eustache**, sorte de conduit qui relie le tympan au nez et à la gorge. En fait, vous et vos trompes d'Eustache vous connaissez comme de vieux amis !

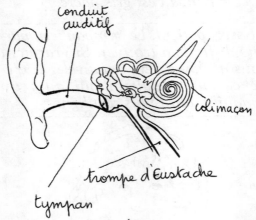

C'est elles qui vous font ressentir cette drôle de pression dans les oreilles quand vous êtes dans un avion ou dans un ascenseur, ou que vous descendez d'une montagne. Parfois, vos oreilles se débouchent brusquement, et vous avez l'impression qu'elles viennent d'éclater, alors que c'est justement de cela que les trompes d'Eustache vous protègent.

Quand on change d'altitude, la pression de l'air varie elle aussi et s'exerce de façon inégale contre les tympans. Si la pression dépasse un certain seuil, ceux-ci peuvent éclater. Mais dans ce cas, l'air qui circule dans les trompes d'Eustache, juste derrière le tympan, atteint une pression équivalente à celle de l'air du dehors pour lui faire barrage.

Le fait de bâiller ou d'avaler sa salive peut rééquilibrer la pression de l'air dans les oreilles. Si une pression très brutale ne peut être neutralisée à temps, le tympan se déchire. Mais en général, ces petites lésions ne sont pas très graves et cicatrisent assez rapidement.

Faites la connaissance
de vos trompes d'Eustache

Bouchez-vous le nez et avalez votre salive. Que constatez-vous ? Savez-vous comment ouvrir vos trompes d'Eustache ?

parfois la pression vient de l'extérieur

parfois la pression vient de l'intérieur

• *Parfois, la pression vient de l'extérieur, comme lorsqu'on plonge dans une piscine. Parfois, elle vient de l'intérieur, comme lorsqu'on est en avion.*

Deux oreilles
valent-elles mieux qu'une ?

On peut bien vivre avec un seul poumon ou un seul rein. Mais que se passerait-il si l'on n'avait qu'une seule oreille ? En faisant l'expérience suivante, vous comprendrez à quoi sert l'autre.

• *Éloignez-vous de votre partenaire à une*

distance telle qu'il puisse encore entendre le tic-tac de votre montre.

• *Bandez-lui les yeux et demandez-lui de localiser le tic-tac chaque fois que vous changerez de position. Faites le test à dix endroits différents, et reportez les résultats dans un tableau.*

Faites le moins de bruit possible en changeant de position.

• *Répétez l'expérience en demandant à votre partenaire de se boucher une oreille. Quelles sont vos conclusions ?*

Entendre d'où vient un son

Si les aveugles sont plus aptes à localiser un son que les voyants, c'est parce qu'ils se servent mieux de leurs deux oreilles que les voyants.

En effet, un son provenant d'un lieu non identifié est entendu par une oreille un dixième de seconde plus tôt que par l'autre. Comme, par ailleurs, la tête lui fait légèrement barrage, ce son résonne également un peu plus fort dans l'une des deux oreilles.

Ces subtiles différences sont analysées par le cerveau, mais des années d'expérience aident aussi à situer les bruits que l'on entend.

On peut également se repérer dans l'espace grâce à l'écho : lorsque des ondes sonores se heurtent à des grandes surfaces, celles-ci les renvoient. Si par exemple vous marchiez les yeux bandés, vous pourriez deviner la proximité d'un mur en écoutant le bruit de vos pas se modifier.

Les os musicaux

Il vous est sûrement arrivé d'écouter votre voix enregistrée et de ne pas la reconnaître. Pourtant, le copain qui était avec vous affirmait qu'elle était plus vraie que nature, mais qu'en revanche il trouvait la sienne franchement bizarre...

Ce décalage entre la façon dont nous-même et les autres entendent notre voix est dû à la résonance osseuse. Cela signifie que nous n'entendons pas notre voix qu'avec nos oreilles, mais aussi à travers nos os. Certaines vibrations sonores traversent le crâne et font directement vibrer le limaçon sans passer par l'oreille externe. Cela explique pourquoi nous percevons certaines fréquences harmoniques de notre propre voix que les autres ne peuvent pas entendre.

Si vous ne le croyez pas, faites le test de la fourchette.

La fourchette musicale

Pour faire cette expérience, l'idéal serait un diapason. Sinon, une fourchette tout en métal fera l'affaire, mais elle résonnera un peu moins.

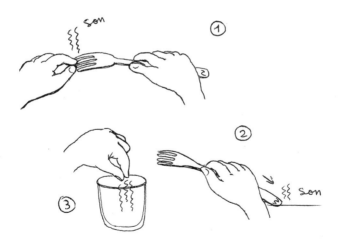

• *Pincez les deux dents du milieu d'une fourchette.*

• *Le son se dégage en appuyant doucement le manche de la fourchette sur la table.*
• *Faites semblant de mettre le son dans un verre.*
• *Vous pouvez constater que le son s'est déplacé le long du manche de la fourchette.*

Entendre la mer

Vous savez que l'oreille n'est pas le seul vecteur du son. Mais vous êtes-vous jamais demandé pourquoi on n'entendait pas les vibrations du sang qui circule dans notre oreille interne ? Heureusement, la nature a bien fait les choses en concevant un appareil auditif qui réduit au minimum la plupart de nos bruits internes.

Pourtant, en étant vraiment au calme, on peut effectivement entendre ces pulsations sanguines. Quand on dit par exemple qu'on « entend la mer » dans un coquillage, on recrée ces conditions qui nous isolent des bruits extérieurs, et amplifient le battement du sang à l'intérieur de notre oreille.

Incroyable mais vrai !

– Nos plus petits os se trouvent à l'intérieur de l'oreille.

– Ce sont les enfants qui ont l'ouïe la plus fine, car ils peuvent percevoir les fréquences très aiguës. Mais cette perception s'émousse avec l'âge.

– L'oreille humaine peut détecter des variations d'intensité sonore absolument incroyables. Ainsi, nous percevons que des bruits de machines dans une usine sont un million de fois plus forts qu'une voix chuchotée.

– S'exposer à des intensités sonores très élevées risque d'affaiblir considérablement la sensibilité de l'oreille au point de rendre sourd. Au-delà de 175 décibels, un son peut même causer la mort.

12. L'équilibre

Êtes-vous capable de rester parfaitement immobile pendant une minute ? Pour le savoir faites le test d'équilibre proposé à la page suivante.

Pas facile, n'est-ce pas ?

Rester vraiment tranquille est une épreuve d'autant plus dure que nos muscles sont habitués à être constamment dans l'effort de nous maintenir debout.

Quand on réfléchit une minute à notre position verticale, on se dit qu'il y a vraiment un déséquilibre entre ce corps si long et si lourd, et la toute petite surface de nos pieds pour le supporter.

Les autres mammifères se maintiennent sur leurs jambes d'une manière bien plus stable. La plupart d'entre eux marchent à quatre pattes, excepté quelques-uns, comme les kangourous. Mais même leur démarche un peu bancale est plus stable que la nôtre. Vous avez sûrement déjà vu un tabouret à trois pieds, mais en avez-vous vu à seulement deux pieds ?

En décidant de marcher sur deux jambes, nos tout premiers ancêtres prirent une décision très risquée, et ils durent probablement beaucoup travailler pour acquérir le sens de l'équilibre.

Problème d'équilibre

Si vous deviez concevoir une longue créature bipède, où placeriez-vous ses détecteurs d'équilibre ?

L'oreille interne

Nos détecteurs d'équilibre sont situés près du limaçon de l'oreille interne. En fait, ce sont deux capteurs sensoriels qui enregistrent différentes sortes d'informations.

Le premier capteur se compose de l'**utricule** et du **saccule.** Il nous permet de nous situer par rapport à notre centre de gravité.

Le second est constitué de canaux semi-circulaires et nous donne le sens de l'orientation.

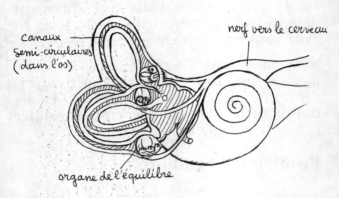

canaux Semi-circulaires (dans l'os)

nerf vers le cerveau

organe de l'équilibre

Ces deux capteurs ont des formes et des fonctions différentes, mais ils opèrent globalement de la même manière. Nos détecteurs d'équilibre réagissent à la pression, et fonctionnent un peu comme le sens du toucher, en plus raffiné.

Le sens de la verticalité

L'utricule et le saccule sont donc les deux organes qui nous permettent de détecter le haut et le bas des choses.

Utricule signifie « petite poche » et saccule – vous l'avez deviné – « petit sachet ». Ils sont tapissés de cellules sensorielles qui sont elles-mêmes garnies de cils.

Ces poches sont remplies d'une substance au nom un peu compliqué d'**otoconie**, qui veut dire « poussière d'oreille ». Cette poussière est constituée de minuscules petits grains de calcaire (les otolithes) qui reposent au fond de l'utricule et du saccule, comme du sable au fond d'un aquarium.

Quand on fait le poirier, la force de gravité déplace ces grains vers ce qui était, dans l'autre sens, le haut des oreilles. Les cils sensoriels envoient alors un message au cerveau pour l'informer de ce changement de position.

En plus de détecter les changements de position du bas vers le haut et vice versa, ces cils peuvent aussi détecter les changements de vitesse. Ainsi, la sensation d'avancer est due aux otolithes qui, eux, restent à la traîne. Lorsque le corps se déplace vers l'avant, les cils se recourbent vers l'arrière.

Vous avez sûrement déjà éprouvé cela quand vous étiez en voiture, et vous savez que cette sensation ne dure que quelques

secondes. Une fois que l'on est en mouvement depuis un moment, les otolithes se
rééquilibrent ; on perd alors la conscience d'avancer jusqu'à ce que l'on s'arrête,
et que se produise le phénomène inverse.

Vouloir rester tranquille

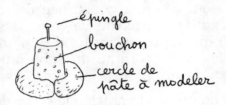

épingle
bouchon
cercle de
pâte à modeler

   Si vous voulez gagner facilement un
pari, défiez un ami de rester parfaitement
immobile pendant deux minutes. En
lisant les instructions ci-dessous, vous
pourrez vérifier s'il bouge ne serait-ce que
d'un millimètre.

• *Posez l'assemblage représenté ci-dessus
sur la tête de votre cobaye. Dos droit. Pieds
joints.*

• *Installez une lampe derrière le dos de
votre ami afin que son ombre soit projetée
sur le mur.*

• *Une épingle fixée sur le mur servira de
repère pour délimiter le haut de l'ombre.*

• *Si l'ombre dépasse la marque, vous aurez gagné votre pari.*

Le sens de l'orientation

Ce sont des canaux semi-circulaires qui indiquent au cerveau quand nous changeons de direction. Ces trois tubes tapissés de cils et remplis de liquide se trouvent juste à côté de l'utricule et du saccule. Comme leur nom l'indique, ils sont de forme recourbée.

Chacun de ces canaux recouvre trois plans différents. Comme nous vivons dans un monde à trois dimensions, ça tombe plutôt bien !

Chaque fois que vous tournez la tête, le liquide que renferment ces canaux comprime les cils sensoriels, lesquels avertissent alors le cerveau que la tête commence à bouger. Puis quand votre mouvement est terminé, le liquide comprime les cils en sens inverse, qui signalent à leur tour au cerveau que vous ne bougez plus.

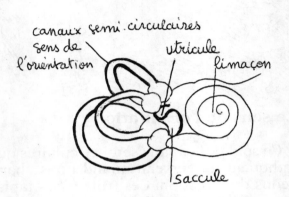

Parfois, après un déplacement un peu brusque, le liquide à l'intérieur des capteurs d'équilibre continue à être secoué alors que votre tête est à nouveau immobile. Vous avez conscience de ne plus bouger, et pourtant votre oreille interne vous dit que tout est encore en train de valser, c'est ce que l'on appelle familièrement avoir le tournis. Dans ces cas-là, il vaut mieux s'asseoir pour éviter de tomber, et attendre que son oreille interne se stabilise.

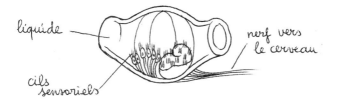

liquide

nerf vers le cerveau

cils sensoriels

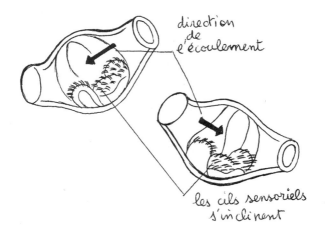

direction de l'écoulement

les cils sensoriels s'inclinent

Effet de tangage

Un liquide dans un récipient qui bouge se met lui aussi à tanguer. Faites-en l'expérience avec un verre d'eau. Vous pouvez aussi ressentir cet effet dans les oreilles. Pour cela, secouez plusieurs fois la tête.

• *Versez une poudre quelconque (poussière de craie ou cannelle) sur la surface de l'eau.*

• *Faites tourner le verre très lentement, puis immobilisez-le. Comment réagit l'eau ?*

• *À présent, tournez rapidement le tête. Que se passe-t-il ?*

L'équilibre et la vue

Quel est le rôle de la vue dans l'équilibre ? Les deux tests suivants vous permettront de répondre à cette question. Le premier déforme l'information visuelle, et le second s'en passe complètement. Prêt ?

• *Avancez sur une ligne droite tout en regardant vos pieds à travers des jumelles. Utilisez-les à l'envers de façon à voir vos pieds très éloignés.*

• *Combien de temps pouvez-vous garder l'équilibre en restant à cloche-pied les yeux fermés ?*

• *Combien de temps gardez-vous l'équilibre en restant sur un pied, mais cette fois les yeux ouverts ? Quelles sont vos conclusions ?*

Déplacements rapides

Pourrions-nous encore tenir debout et nous déplacer dans l'espace si nos cellules sensorielles étaient détruites ?

Fermez les yeux. Même sans les voir, vous savez très bien où se trouvent vos genoux et vos coudes. C'est ce que l'on appelle le sens **kinesthésique** : des cellules nerveuses à l'intérieur des articulations renseignent le cerveau sur la position du corps.

Vous avez aussi des capteurs sensoriels de pression situés sur la plante des pieds, et qui vous informent sur la manière dont le poids de votre corps est réparti.

Cette information, associée à celles que vous donnent les yeux, sont suffisantes pour vous faire marcher droit sur un chemin étroit, **à condition d'avancer très lentement**. Cependant, des changements brusques d'équilibre nécessitent la mobilisation de tout le dispositif de votre oreille interne.

L'ensemble des informations transmises par les capteurs d'équilibre est directement relié au centre de contrôle musculaire situé dans le cerveau ; ce dispositif peut prévenir et éviter la perte d'équilibre **avant** même que celle-ci ne survienne. Grâce à ces réflexes, vous pouvez éviter la catastrophe en marchant sur un trottoir verglacé ou en apprenant à faire du vélo.

Avoir le tournis

Le système de contrôle d'équilibre fait équipe avec les muscles pour contrebalancer les mouvements violents, et vous remettre d'aplomb. Mettez vos réflexes d'équilibre à l'épreuve avec l'expérience suivante :

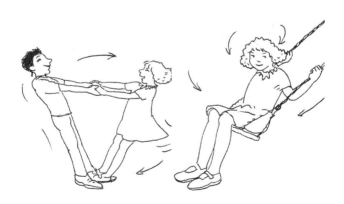

• *Faites la toupie avec un ami. De quel côté penchez-vous ? Pourquoi ?*

• *Quand vous êtes sur une balançoire ou sur un fauteuil pivotant, et que vous tournez sur vous-même, votre regard suit un mouvement de va-et-vient. Une fois à nouveau immobile, vous avez toujours l'impression de tourner.*

L'incroyable réflexe d'équilibre

Quand vous êtes sur le point de tomber, vous avez toujours un pied qui se soulève pour vous rattraper. Quand vous courez, vous vous penchez en avant pour contrebalancer le force de l'air qui vous pousse en sens inverse. Et quand vous vous arrêtez en pilant, vos bras se lèvent automatiquement et vous rejetez tout votre poids vers l'arrière.

Chaque mouvement en entraîne un autre dans la direction opposée. Ces mouvements automatiques et ultra rapides sont ce que l'on appelle les réflexes d'équilibre.

Vous ne prenez réellement conscience de ces réflexes que dans les rares occasions où, à cause d'une seconde d'inattention, vous vous retrouvez le nez par terre. Vous commencez par mesurer l'ampleur des dégâts, puis vous jetez un furtif coup d'œil pour vous assurer que personne ne vous a surpris dans cette posture ridicule. Au lieu de vous émerveiller sur les prouesses que votre corps accomplit la plupart du temps, vous vous énervez contre vos pieds qui vous ont fait trébucher.

Qu'est-ce que l'équilibre ?

Toutes les parties de votre corps ont un poids. Lorsque vous êtes immobile, tout ce

poids tient en équilibre, comme un crayon sur le doigt tendu ou deux personnes
sur une balançoire à bascule. Évidemment,
vos pieds sont aussi un point d'ancrage.

Si vous faites un mouvement brusque,
par exemple en soulevant la jambe pour
taper dans un ballon, une force s'oppose
à la partie du corps qui se soulève pour
faire contrepoids.

point imaginaire
centre de gravité

Tests d'équilibre

On ne se rend pas bien compte des
prouesses que doit constamment faire
notre corps pour nous maintenir en équilibre. Ces exercices vont vous en faire
prendre conscience.

• *Asseyez-vous sur une chaise, puis relevez-vous sans vous aider de vos mains ni vous appuyer au dossier.*

• *Touchez vos orteils, en laissant les talons appuyés contre le mur.*

• *Pouvez-vous soulever une chaise en la prenant seulement par un pied ? Pourquoi est-ce si difficile ?*

• *La main à plat contre le mur et le corps bien droit, éloignez-vous progressivement. Jusqu'où pouvez-vous reculer vos pieds en gardant cette position ? Où est votre centre de gravité ?*

centre
de l'odorat

13. Le cerveau
et le système nerveux

Imaginez que vous marchez sur un trottoir en regardant vos pieds. Tout à coup, un cri. Vous levez la tête, et vous voyez un fou qui fonce droit sur vous en planche à roulettes.

Vos yeux s'écarquillent.

Vos muscles se crispent.

Vous avez le souffle coupé.

Votre cœur bondit dans votre poitrine.

En un dixième de seconde, votre cerveau a mesuré l'ampleur de la catastrophe, et tous les muscles de votre corps vous projettent immédiatement de côté pour vous écarter du danger. Tout cela se passe si vite que vous n'avez même pas le temps de dire ouf !

Vous réalisez alors que le skateur fou est votre frère. Vous criez : « Abruti ! » Puis votre cerveau commence à imaginer des représailles avant de retrouver son calme.

Ces réactions éclairs ont été commandées par votre système nerveux qui gouverne tout votre corps. En moins d'une seconde, une centaine de milliers de cellules nerveuses ont envoyé toutes sortes de signaux d'alarme pour vous écarter du danger.

Quand il n'a pas à réagir à de tels cas d'urgence, le système nerveux gère le travail des cellules du corps, et surveille aussi bien ce qui se passe à l'intérieur qu'à l'extérieur de l'organisme. Comme il ressent le moindre changement dans notre environnement, il fait les réajustements nécessaires pour que nous puissions nous y adapter. Bref, il veille à ce que tout se passe bien au-dedans comme au-dehors.

Aller de l'avant

La toute première fonction du système nerveux est d'être irritable. L'irritabilité, c'est la faculté de sentir des modifications dans l'environnement, et de s'y adapter. C'est un réflexe de survie.

Même des animaux ramollos comme les méduses sont irritables et ont un réseau de nerfs qui recouvre leur corps.

Les espèces animales plus complexes ont un corps structuré différemment, à savoir qu'il est constitué de deux parties symétriques. C'est ce que l'on appelle la symétrie bilatérale. Ainsi, les vers de terre sont les créatures multicellulaires à symétrie bilatérale les plus basiques.

Au fil des âges, les créatures bilatéralement symétriques ont évolué. Leur système nerveux est devenu plus important et sophistiqué, s'adaptant à un tas de nouveaux critères dont elles devaient tenir compte afin, par exemple, de pouvoir se déplacer vers tel ou tel endroit. Petit à petit, une masse de tissu nerveux s'est développée à l'extrémité de leur corps : les premiers cerveaux étaient ap-parus.

Plus tard, les cerveaux des mammifères

ont augmenté de volume à mesure qu'ils devaient intégrer des informations visuelles, olfactives, sonores, mais aussi gérer l'équilibre interne de leur organisme, tel que la température ou l'équilibre.

Mais globalement, la forme de notre cerveau n'est pas très différente de celle de nos cousins vers de terre. Ce n'est qu'un ensemble de paquets de cellules collées au bout d'une sorte « d'autoroute » nerveuse.

L'autoroute nerveuse

Les nerfs de tous les animaux fonctionnent de la même façon : ce sont les réseaux de cellules à petites ramifications qui s'étendent sur tout l'organisme. Ces cellules transmettent les messages du corps au cerveau sous forme de minidécharges électriques tout le long des nerfs périphériques.

Les cellules nerveuses qui constituent ce réseau s'appellent les **neurones**. À partir de substances chimiques, chaque nerf est capable de provoquer une impulsion électrique et de la transmettre à une autre cellule nerveuse qui, à son tour, la fera passer à sa voisine, etc. Ces impulsions en chaîne se déroulent en un dixième de

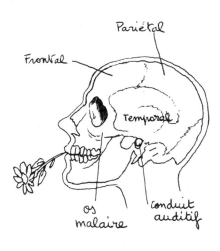

Pariétal

Frontal

Temporal

Os
malaire

conduit
auditif

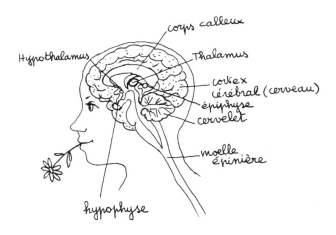

corps calleux

Hypothalamus

Thalamus

cortex
cérébral (cerveau)

épiphyse

cervelet

moelle
épinière

hypophyse

seconde, et se répètent tout aussi vite :
une fois qu'elle a déchargé, une cellule
peut recommencer tout de suite après.
En fait, un nerf peut envoyer jusqu'à
1 000 impulsions électriques par seconde.

Une cellule nerveuse ressemble un peu
à une araignée qui aurait tissé sa toile au
plafond. Elle est constituée d'une fibre
longue appelée **axone**, et de plusieurs
fibres plus petites, les **dentrites**.

Les messages se transmettent toujours
des dentrites à l'axone.

En fait, ce que l'on appelle un « nerf »
est tout simplement un ensemble de cellules à multiples ramifications qui, mises
bout à bout, forment des espèces de longs
fils reliant toutes les parties du corps
entre elles. Le système nerveux principal
est constitué de 11 000 millions de cellules nerveuses.

On pourrait comparer le système nerveux à une chaîne d'enfants se serrant la
main ; chacun d'entre eux serait une cellule nerveuse qui transmettrait des
impulsions à son voisin. Ces impulsions
ne sont pas continues et régulières
comme l'eau qui coule du robinet, mais
se transmettent plutôt par giclées.

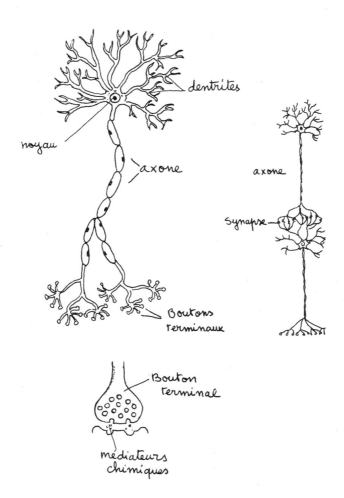

dentrites

noyau

axone

Boutons
terminaux

axone

synapse

Bouton
terminal

médiateurs
chimiques

Décharge électrique

Très fragiles, les nerfs sont presque tou-jours protégés par des os, ou sont profon-dément insérés dans du tissu musculaire. Toutefois, le nerf cubital, qui se trouve dans la petite cavité du coude, fait excep-tion à la règle puisqu'il est exposé aux chocs. Lorsque vous vous cognez à cet endroit, vous ressentez une sorte de décharge électrique très désagréable.

Avoir la grosse tête

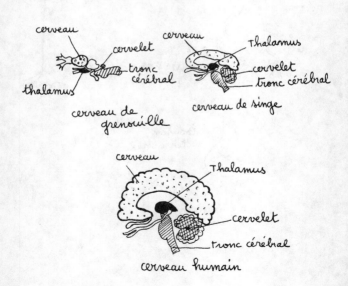

cerveau   cervelet   tronc cérébral   thalamus

cerveau de grenouille

cerveau   Thalamus   cervelet   tronc cérébral

cerveau de singe

cerveau   Thalamus   cervelet   tronc cérébral

cerveau humain

De tous les cerveaux d'êtres vivants, celui des humains est le plus abouti que l'évolution de l'espèce ait mis au point en quelques plusieurs millions d'années.

Certaines parties de notre cerveau, telles que la moelle épinière ou le cervelet, sont identiques à des cerveaux entiers d'animaux moins sophistiqués, comme les poissons ou les reptiles. D'ailleurs, on les appelle parties « anciennes », parce que ce sont les premières à s'être développées dans l'histoire des animaux.

D'autres éléments de notre cerveau ne se retrouvent que chez des mammifères plus évolués. Plus récents, ils nous permettent de survivre dans un monde devenu plus complexe.

Ces nouveaux éléments se sont greffés sur les parties plus anciennes et basiques, et ont de ce fait accru le volume total du cerveau. Ces parties rajoutées ont aussi engendré de nouvelles fonctions que les savants désignent par fonctions « supérieures ».

Vous pouvez vous amuser à observer la taille plus ou moins importante du front des animaux que vous connaissez.

La tour de contrôle

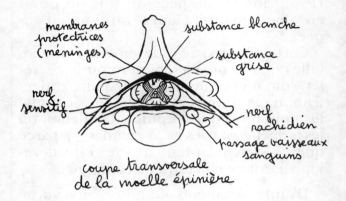

membranes protectrices (méninges)

substance blanche

substance grise

nerf sensitif

nerf rachidien

passage vaisseaux sanguins

coupe transversale de la moelle épinière

Quand on demande aux gens de décrire un cerveau, ils évoquent immédiatement cette grosse masse toute ridée qui ressemble à une noix, mais oublient presque toujours de mentionner la moelle épinière, partie plus ancienne qui se cache derrière ses replis, et qui appartient elle aussi au cerveau.

Chacune des parties du cerveau assume une fonction particulière dans le contrôle de notre corps. Même si, aujourd'hui, on ne connaît pas encore tout sur le cerveau, on sait toutefois que ce sont les parties inférieures qui assurent les fonctions les plus basiques et inconscientes.

Ainsi, le fait de saisir une pomme de terre bouillante et de la relâcher immédiatement est un réflexe, dicté par la moelle épinière. Ce genre d'action est si rapide qu'elle ne laisse pas le temps de prendre conscience de ce que l'on fait.

La base du cerveau commande tous ces actes que nous accomplissons sans le savoir. C'est elle qui nous fait saliver, digérer ou mettre un pied devant sans trébucher.

Derrière cette zone se cache l'élément qui constituait autrefois la partie antérieure du cerveau. C'est de là que partent les impulsions qui font que vous donnez un coup de poing à celui qui aura piétiné votre goûter à la récré. Cette partie est le siège de toutes nos émotions conscientes telles que la peur, la colère et l'agressivité, mais aussi des sensations physiques comme la faim, la soif ou l'odorat.

Le cortex cérébral est la grosse masse toute plissée située en haut du cerveau. C'est lui qui vous fait regretter votre coup de poing quand vous réalisez soudain que votre destinataire est beaucoup plus grand et plus fort que vous. Le cortex cérébral est le siège de la mémoire, de l'imagination, de la faculté de raisonner et du contrôle volontaire des mouvements. C'est l'élément le plus spécifiquement humain du cerveau.

Réfléchissons à la façon dont nous réfléchissons

Il vous est sûrement déjà arrivé de ravaler vos larmes en voyant un film très triste, parce que vous trouviez ridicule de pleurer. Et puis finalement, votre émotion a eu le dessus, et vous vous êtes mis à sangloter, passant outre aux réticences des parties de votre cerveau qui jugeaient que le film était idiot.

Avez-vous déjà pardonné à quelqu'un après avoir juré de lui en vouloir toute votre vie ? Ou été furieux au point de ne plus pouvoir penser clairement ? Avez-vous déjà été paralysé par la peur ? Ou excité à en perdre le sommeil.

Avez-vous déjà repris une quatrième part de gâteau tout en sachant que ce n'était pas raisonnable ?

Faites le bilan de toutes les pulsions qui surgissent de votre cerveau, et vous serez surpris de constater à quel point elles peuvent parfois être contradictoires !

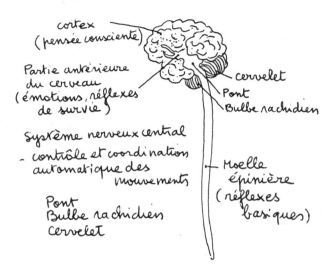

cortex
(pensée consciente)

Partie antérieure
du cerveau
(émotions, réflexes
de survie)

Système nerveux central
- contrôle et coordination
automatique des
mouvements

Pont
Bulbe rachidien
Cervelet

cervelet
Pont
Bulbe rachidien

Moelle
épinière
(réflexes
basiques)

Dissection du cerveau

Contrairement à l'observation du cœur ou de l'œil, l'examen du cerveau ne vous apprendra pas grand-chose sur la façon dont il fonctionne. Mais si vous avez malgré tout envie de voir de près cet organe complexe et mystérieux, demandez à votre boucher une cervelle de bœuf, si possible encore attachée à la moelle épinière.

Le schéma de la page 253 devrait vous aider à identifier les différentes parties.

• *Observez la partie externe, et notamment la fine membrane qui la recouvre ainsi que les vaisseaux sanguins. Situé à l'intérieur du crâne, le cerveau baigne dans un liquide rempli d'éléments nutritifs, et est recouvert d'un tissu très dense et protecteur appelé la dure-mère.*

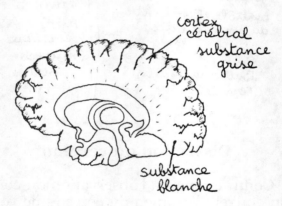

cortex cérébral substance grise

substance blanche

• *Incisez un des hémisphères près du sillon et coupez-le en deux dans le sens de la longueur.*

• *Coupez ensuite l'autre hémisphère dans le sens de la largeur.*

Les réflexes

Si une main s'avance brutalement vers votre visage, vous clignerez des yeux.

Si vous piquez quelqu'un avec une épingle, la personne reculera brusquement.

Si vous chatouillez la plante des pieds d'un bébé, ses orteils se recroquevilleront.

Toutes ces réactions sont des réflexes, c'est-à-dire un mouvement involontaire qui répond à un message sensitif, comme la douleur. La moelle épinière enregistre le message, et les muscles réagissent avant même que le cerveau en soit informé. C'est ce que l'on appelle un acte réflexe.

Le bras a reçu un message nerveux avant que le cerveau ait compris ce qui se passait.

Le réflexe du genou

Le signal nerveux qui fait bouger le genou peut emprunter deux itinéraires différents.

Le premier part du cerveau et parcourt toute la colonne vertébrale jusqu'à la jambe ; c'est un mouvement conscient et volontaire dicté par le cerveau.

Le second est un acte réflexe provoqué par le test qui consiste à donner un petit coup juste sous le genou.

• *Vous pouvez provoquer un acte réflexe en donnant un léger coup juste sous le genou. Vous devrez sans doute recommencer plusieurs fois avant de retrouver le point exact.*

• *Demandez à votre partenaire de lever la*

jambe, puis renouvelez l'expérience en tapotant son genou. Quand réagit-il le plus lentement ? Pourquoi ?

Bras suspendus

L'expérience suivante est vieille comme le monde et a déjà amusé un tas d'enfants. Elle épatera sûrement ceux de vos amis qui ne la connaissent pas encore. Pour cela, il faut seulement une porte et vos deux bras.

• *Mettez-vous sur le seuil d'une porte, et essayez de toutes vos forces de repousser les murs en maintenant la pression pendant 30 secondes.*

• *Relâchez les bras. Ils restent programmés pour maintenir le mouvement, alors que vous leur avez commandé de se baisser.*

Chute d'un billet de banque

Quand vous voulez attraper un ballon, votre cerveau anticipe l'endroit où il sera dans une seconde, puis il lance vos mains pour le saisir. Et quand vous voulez effectuer un mouvement, votre système nerveux a besoin d'un petit instant pour évaluer la situation et réagir.

• *Utilisez un billet de banque, ou une feuille de papier de mêmes dimensions.*

• *Levez le bras et laissez tomber le billet de côté de façon à le faire voleter.*

• *Essayez de l'attraper. Vous avez droit à 5 essais. (Si cela est trop facile, n'utilisez qu'une seule main.)*

• *Un billet de banque tombe bien plus lentement que votre porte-cartes. Alors pourquoi est-il plus difficile à attraper ?*

Malin comme un singe

Pour beaucoup de gens, l'intelligence, c'est uniquement ce qui se mesure avec les tests de Q.I. que l'on vous fait faire à l'école. Pourtant, ces tests ne s'appliquent qu'à une infime partie de notre système nerveux qui est extrêmement vaste et complexe.

Certaines personnes apprennent très vite. D'autres ont énormément de mémoire. D'autres encore sont super-forts pour résoudre les problèmes de maths, à condition que ce ne soit pas de la géométrie.

Il y a des gens très malins qui font du charme et mettent tout le monde dans leur poche pour arriver à leurs fins.

D'autres sont moins doués, et n'arrivent qu'à exaspérer leur entourage.

Il y a ceux qui sont habiles de leurs mains. Ce sont les génies de la mécanique qui réparent n'importe quoi avec un tournevis et du chewing-gum.

D'autres ont un réel talent pour inventer et écrire des histoires, mais restent fâchés avec l'orthographe parce que ça leur rappelle de mauvais souvenirs d'école.

Certaines personnes exécutent des figures de gymnastique extraordinaires, et coordonnent parfaitement tous leurs mouvements. Et puis il y en a qui ont énormément de mal à apprendre à taper à la machine.

Certaines personnes sont très intuitives, ou ont le sens de l'orientation, ou ont une énorme faculté de concentration.

Ne vous laissez donc pas décourager si l'on vous fait subir des tests qui ne portent que sur des domaines très particuliers. N'oubliez jamais qu'il y a mille façons d'être intelligent.

Il est très difficile de dire ce qu'est l'intelligence. On la définit souvent par la faculté d'abstraction, c'est-à-dire la plus ou moins grande aptitude du cerveau à trouver la solution d'un problème ou à s'adapter à une situation nouvelle.

L'apprentissage musculaire

Apprendre, ce n'est pas seulement résoudre des problèmes de maths ou être incollable sur tel ou tel sujet. C'est aussi jongler, écrire à l'ordinateur, marcher sur les mains ou jouer au piano. Comme dit le dicton, c'est en forgeant qu'on devient forgeron. L'expérience suivante vous aidera à juger si les muscles ont une mémoire.

• *Laissez tomber une bille en direction de la main de votre partenaire située 30 cm plus bas. Peut-il l'éviter ? Si c'est trop facile, mettez-vous à 20 cm.*

• *Recommencez plusieurs fois, puis inversez les rôles. Êtes-vous plus adroit ?*

La force de l'habitude

L'habitude s'acquiert en répétant une action jusqu'à ce qu'on la fasse sans effort et qu'elle devienne un automatisme. Faites-en l'expérience par vous-même.

• *Numérotez les lignes horizontales d'une feuille de cahier, et chronométrez le temps qu'il vous faut pour y écrire votre nom 50 fois.*

• *Chronométrez le temps qu'il vous faut pour écrire 50 fois votre nom à l'envers.*

Apprendre et désapprendre

Les habitudes se prennent vite, surtout quand elles sont mauvaises ! S'en défaire demande beaucoup plus d'effort. Voici un exercice pour vous démontrer la force de l'habitude.

Dictez les phrases suivantes à un ami en lui demandant d'écrire vite sans point sur les i ni barre aux t. Essayez de faire la même chose. Ce n'est pas si simple, n'est-ce pas ?
– Souris à la vie, la vie te sourira.
– Si tu lis au lit tard dans la nuit, le réveil risque d'être difficile.
– Les ouistitis n'aiment pas les salsifis.
– L'institutrice de Louis est très intelligente.

Se souvenir

Vous êtes-vous déjà demandé ce que vous ressentiriez si vous vous éveilliez chaque matin complètement amnésique ?

Vous seriez obligé de traverser toutes les pièces de la maison pour trouver la salle de bains, et de refaire chaque jour la connaissance de vos parents. Bien sûr, vous reliriez indéfiniment vos romans préférés avec le même plaisir, mais encore faudrait-il que vous sachiez toujours lire !

La mémoire c'est vraiment important ! Elle vous fait acquérir des habitudes, qui à leur tour vous permettent d'accomplir certain gestes sans y mettre chaque fois autant d'énergie. Ainsi, vous pouvez lacer vos chaussures tout en pensant à autre chose. Si aujourd'hui vous faisiez du bateau et que vous tombiez à la mer, vous ne vous noieriez pas, parce que vous appris à nager l'été dernier. Quand on a surmonté un problème, on le résout plus facilement lorsqu'il se présente une deuxième fois, même si le contexte n'est pas tout à fait le même.

On ne sait pas encore très bien comment fonctionne la mémoire, mais on suppose que les informations qu'elle enregistre sont stockées dans le cortex grâce à des modifications de certaines substances du cerveau.

Il semblerait qu'il existe trois différents types de mémoire :

La première serait constituée d'impressions fugaces aussitôt oubliées, comme lorsqu'on lève la tête et que l'on remarque la présence de nuages dans le ciel.

Puis il y aurait la mémoire à moyen terme qui permet de se souvenir d'un numéro de téléphone jusqu'à ce qu'on le compose, ou de mémoriser des informations la veille de passer un examen. Ces souvenirs-là durent tout au plus quelques heures.

Enfin, la mémoire à long terme est celle des souvenirs que notre esprit a triés, sélectionnés et finalement gardés. Les tables de multiplication, le visage de votre mère ou le plus sale quart d'heure de votre vie en font partie.

Oublier

L'oubli n'est pas forcément une mauvaise chose. À quoi bon se souvenir de numéros de téléphone périmés, ou des noms de tous les enfants qui étaient avec vous à la maternelle ? Malheureusement, il y a aussi tous ces moments désagréables qu'on préférerait oublier, mais dont on ne se débarrassera sans doute jamais.

Certaines personnes prétendent n'avoir aucune mémoire. Mais des études ont montré que, jusqu'à un certain point, il était tout à fait normal et prévisible d'oublier certaines informations. On se rappelle bien mieux quelque chose que la mémoire a enregistré du premier coup.

Cela laisse supposer que l'oubli est dû à de l'inattention ou à de l'indifférence. Après tout, combien de fois avez-vous déjà oublié de regarder votre émission préférée à la télé ?

Droitier ou gaucher ?

Pour saisir un crayon ou composer un numéro de téléphone, on utilise plutôt la main droite si l'on est droitier ou la gauche si l'on est gaucher. Eh bien sachez que, de la même façon, nous avons un pied, un œil, un côté du visage et même un côté de la langue qui domine sur l'autre.

Les bébés ont tendance à saisir les objets toujours avec la même main : leur main dominante. Cela signifie qu'une moitié de notre corps est plus apte que l'autre à accomplir des gestes coordonnés, même si, de l'extérieur, nos deux moitiés sont parfaitement identiques.

Les deux parties du cerveau

Avez-vous déjà essayé d'écrire votre nom de la main gauche si vous êtes droitier, ou de la droite si vous êtes gaucher ? Vous avez dû remarquer aussi que le côté gauche de votre corps était moins mobile que le droit. Cette asymétrie dans la coordination de nos mouvements se reflète également dans le cerveau. En effet, celui-ci est divisé en deux parties qui ont chacune leur spécialisation.

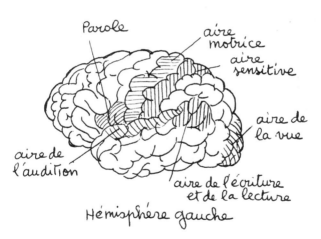

Parole
aire motrice
aire sensitive
aire de la vue
aire de l'audition
aire de l'écriture et de la lecture
Hémisphère gauche

Vers l'âge de dix ans, une de ces parties devient dominante. En fait, c'est le côté gauche qui domine chez 90 % des gens, qui sont alors droitiers. À l'inverse, chez les gauchers, c'est le côté droit du cerveau qui commande. Cette particularité est due à une inversion des influx nerveux au niveau du **corps calleux** qui fait la jonction entre les deux côtés du cerveau.

Le rôle de ce pont (le corps calleux) est d'informer la partie droite des activités de la partie gauche. Des expériences ont montré qu'en cas de suppression d'un des deux côtés, celui qui restait apprenait très vite à suppléer aux activités de l'autre.

Si, en revanche, on sectionne le corps calleux, les deux côtés du cerveau se mettent à fonctionner séparément. Chez des singes qui ont subi cette opération, on a constaté qu'une moitié de leur corps était devenue incapable de se rappeler des acquis du côté opposé. La dominance n'est donc pas seulement pratique, mais elle semble aussi indispensable pour préserver l'équilibre entre les deux moitiés de notre corps.

Tests de dominance

La plupart des gens sont droitiers ou gauchers. Certaines personnes sont ambidextres. Vérifiez par ces tests quelles sont vos dominances.

pouces : *joignez rapidement les mains. Lequel de vos pouces se retrouve au-dessus ?*

pied : *demandez à quelqu'un de vous envoyer un ballon et tapez dedans le plus fort possible. Lequel de vos pieds avez-vous utilisé ?*

œil : *fermez l'œil droit, et fixez un objet à partir de votre pouce.*

Ouvrez l'œil droit. Si vous avez l'impression que votre pouce se déplace vers la droite, c'est que votre œil droit est dominant. Sinon, c'est l'œil gauche.

Réfléchissez à la façon de reconnaître l'oreille, le côté du visage et de la langue, et la jambe qui sont dominants chez vous.

L'esprit et le corps

Le cerveau est une masse de chair innervée et toute plissée qui flotte à l'intérieur du crâne. On peut le palper, le secouer, le peser, le mesurer, le disséquer ou l'examiner. Tous les êtres humains ont à peu près le même cerveau.

Mais l'esprit, c'est autre chose. C'est lui qui veille ou qui dort, qui imagine, se souvient, raisonne ou rêve. On ne peut ni le mesurer ni le peser, et il demeure un des plus grands mystères de la vie. Il se trouve à l'intérieur du cerveau qui est fait de chair et de sang, mais l'esprit lui-même est bien plus que de la chair et du sang.

centre de l'odorat

L'esprit est ce qui constitue votre être, votre personnalité. Vous avez vos propres souvenirs qui résultent de vos expériences personnelles et de votre histoire. Vous avez un langage, une culture, et une façon d'appréhender le monde qui vous est propre. Votre esprit, c'est votre façon de penser, de décider, mais c'est aussi vos talents et vos faiblesses. Votre esprit, c'est ce que vous savez et ce que vous ignorez. Le fait qu'il est unique fait également de vous une personne unique. Vous êtes un être de chair et de sang, certes, mais vous êtes bien plus que cela encore !...

Incroyable mais vrai !

– Bien plus complexe que le plus sophistiqué des ordinateurs, l'énergie produite par le cerveau correspond à celle d'une ampoule électrique de 10 watts.

– Si l'on sortait le cerveau du crâne et qu'on l'étale, il recouvrirait toute la surface d'une page de journal de 60 cm ^{2}.

– Le cerveau est constitué d'eau à 85 %.

– Le cerveau consomme 25 % de notre consommation d'oxygène. Il pèse 1,5 kilo, soit 1/50 ^{e} de notre poids d'adulte.

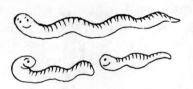

14. La reproduction.
La vie continue

Personne n'échappe au vieillissement et à la mort. Mais puisque la vie doit continuer, il faut qu'elle se renouvelle dans des corps jeunes. Pour survivre en tant qu'espèce, les êtres vivants se reproduisent de deux façons.

Par reproduction asexuée, que l'on appelle aussi **parthénogenèse**. C'est ce qui arrive quand une partie d'un être vivant se détache de son corps, et que cette partie devient à son tour un être fini, identique à son géniteur. Les levures, les herbes folles et les vers ont cette faculté de se scinder en deux pour se reproduire.

270

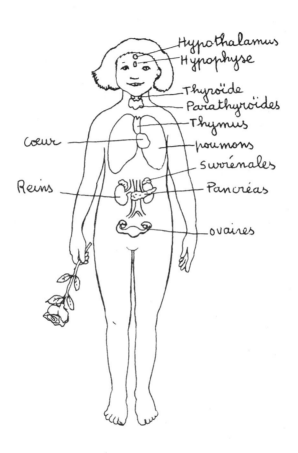

Hypothalamus
Hypophyse
Thyroïde
Parathyroïdes
Thymus
Cœur
poumons
surrénales
Reins
Pancréas
ovaires

271

Ou encore par reproduction sexuée. Dans ce cas, deux créatures d'une même espèce donnent la vie à un nouvel être, lequel ressemblera à ses deux parents, sans qu'il soit pour autant parfaitement identique à l'un ou à l'autre. C'est un être neuf et unique dans son genre.

L'un des secrets de la survie, c'est de pouvoir s'adapter rapidement au changement. Or, un être qui hérite des caractéristiques de ses deux parents est mieux armé pour cela. C'est pourquoi la plupart des êtres vivants se reproduisent sexuellement.

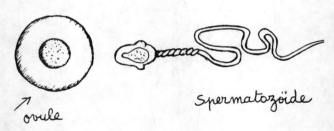

ovule · spermatozoïde

Même si ce mode de reproduction varie selon qu'il s'agit d'animaux ou de plantes, il fonctionne malgré tout selon les mêmes principes.

Il suppose deux partenaires d'une même espèce, l'un étant mâle et l'autre femelle.

272

Les mâles fabriquent des spermatozoïdes, et les femelles des ovules.

Ces spermatozoïdes et ces ovules contiennent chacun la moitié des gènes nécessaires pour créer un nouvel être vivant.

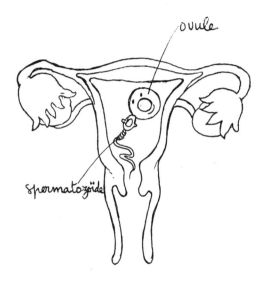

Puis, lorsqu'un spermatozoïde et un ovule fusionnent, cela donne... un zygote !

Un zygote, que l'on appelle aussi « œuf fécondé », est une cellule qui, dans un environnement approprié, a la faculté de se développer et de devenir un être adulte.

Chaque espèce se développe dans un environnement qui lui est spécifique. Ainsi, les plantes produisent des graines qui ont besoin de soleil, de terre et d'eau pour croître. Les œufs pondus par les oiseaux doivent être protégés et couvés. Quant aux mammifères (et nous en sommes !), ils produisent des œufs qui restent dans le corps de la femelle. C'est d'ailleurs pour cela qu'ils n'ont pas besoin de coquille ou de carapace protectrice.

Chez les humains, l'œuf fécondé se développe à l'intérieur de l'**utérus** de la mère pendant neuf mois. Lorsqu'il vient au monde, le bébé est expulsé hors du corps maternel pour vivre sa vie d'être humain autonome.

100 000 spermatozoïdes mis bout à bout rempliraient le même espace qu'une ligne de cette page. Un œuf humain est tout juste visible à l'œil nu.

Mâle et femelle

Les corps des hommes et des femmes sont pratiquement identiques : ils ont les mêmes os, les mêmes organes, la même respiration, et vivent et meurent de la même façon. Ce qui les distingue physiquement, c'est tout ce qui a trait à leurs rôles de géniteurs. C'est justement grâce à ces différences qu'ils peuvent se reproduire.

Faire l'inventaire

L'être humain est une créature fort complexe. Il a fallu 40 000 gènes pour fabriquer la personne que nous sommes. Ces gènes incluent une infinité de variantes qui nous distinguent les uns des autres. Certaines de ces variantes ou de ces caractéristiques apparaissent plus souvent que d'autres. Elles peuvent être internes, telles que le groupe sanguin,

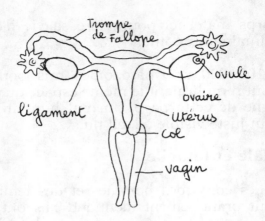

Trompe de Fallope

ovule

ovaire

utérus

col

vagin

ligament

appareil génital féminin

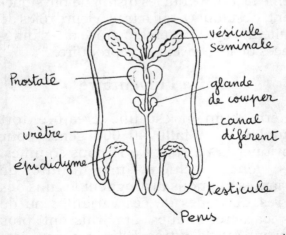

vésicule seminale

Prostate

glande de cowper

urètre

canal déférent

épididyme

testicule

Penis

appareil génital masculin

ou bien externes et donc visibles, comme la couleur des yeux. Amusez-vous à faire l'inventaire de vos caractéristiques externes.

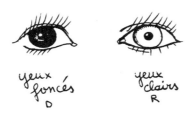

yeux foncés
D

yeux clairs
R

Certaines caractéristiques sont dominantes (D), et d'autres récessives (R). Cela signifie que si nous héritons d'un gène de cheveux blonds de l'un de nos parents, et d'un gène de cheveux foncés de l'autre, il y a de fortes chances pour que nous ayons les cheveux foncés, qui sont le gène dominant.

Voici quelques caractéristiques physiques dont vous avez peut-être hérité :
– implantation de cheveux en V sur le front (D)
– fossettes (D)
– cheveux roux (D)
– longs cils (D)
– nez en trompette (D)
– oreilles décollées (D)

– poils sur les phalanges inférieures des doigts (D)

– taches de rousseur (D)

– couleur des yeux : foncés (D), noisette (D), verts (D), bleus, gris (R)

– faculté d'enrouler la langue en U (R)

– faculté de replier le bout de la langue sans toucher les dents (D)

Le hasard et la chance

Vous êtes-vous demandé pourquoi vous êtes si petit, alors que tous les membres de votre famille sont des géants ? Ou pourquoi vous avez les cheveux horriblement frisés ou le visage plein de taches de rousseur ? Ou pourquoi vous avez de magnifiques yeux verts alors que ceux de votre sœur sont d'un marron très commun ?

Tout cela est dû à vos gènes, c'est-à-dire à ces particules d'informations chimiques héritées de vos parents.

À moins bien sûr que vous n'ayez un frère jumeau ou une sœur jumelle (né d'un même œuf), les probabilités pour que vos parents fabriquent votre double sont si infimes qu'il faudrait deux heures pour écrire la fraction correspondante. Disons que le chiffre du bas serait un 1 suivi de 9 031 zéros !

Vous resterez donc le seul et unique spécimen de votre genre. Nulle part ailleurs il n'existe un être qui ait exactement votre petite taille, vos cheveux frisés, vos taches de rousseur et vos yeux verts.

Index

Castor Poche Connaissances

Une nouvelle série
à partir de 8/9 ans.

Castor Poche Connaissances
Des petits « poches » à lire d'un trait
ou à prendre et à reprendre.
Des textes pour stimuler la curiosité,
pour susciter l'envie d'en savoir plus.

Castor Poche Connaissances
En termes simples et précis,
des réponses à vos curiosités, à vos interrogations.
Des textes de sensibilisation
sur des notions essentielles.
Les premières clés d'un savoir.
Des sujets variés.
Le sérieux de l'information
allié à la légèreté de l'humour.
Un ton alerte et vivant.

Dans chaque ouvrage,
un sommaire et un index détaillés permettent
de se référer rapidement à un point précis.

C1 Bon pied, bon œil ! (Junior)
Notre santé
par Lesley Newson

Quels sont les moyens de défense et de reconstruction de notre organisme ? Que se passe-t-il à l'intérieur de notre corps lorsque nous avons la varicelle ? Ce guide concis et vivant nous permet d'en savoir plus sur les microbes, les virus, les bactéries et... sur nous-mêmes.

C2 Comme un sou neuf ! (Junior)
La bataille contre la saleté
par Lesley Newson

Qu'est-ce que la saleté ? Comment agissent le savon, les détergents ? Une approche, à la fois scientifique et vivante des questions d'hygiène, qui nous informe avec précision et humour, et nous aide à combattre la saleté sur notre corps, sur nos vêtements, dans nos maisons et dans nos villes.

C3 La marche des millénaires (Senior)
A l'écoute de l'Histoire
par Isaac Asimov & Frank White

Parce qu'il traite autant des modes de vie et de l'évolution des techniques que des faits dits historiques, ce livre transforme le domaine parfois rebutant de l'Histoire en une matière vivante et attrayante. Les connaissances historiques sont mises en relation avec les grandes préoccupations d'aujourd'hui, et deviennent du coup captivantes.

C4 Sale temps pour un dinosaure ! (Junior)
Les caprices de la météo
par Barbara Seuling

Comment se forme un grêlon ? En quoi une tornade diffère d'un cyclone ? Quelle est la température la plus chaude jamais enregistrée sur terre ? Qu'est-ce que la foudre ? Mille informations sur le temps et la météorologie sont regroupées dans ce petit livre, qui dissipent les interrogations et ... éclaircissent notre ciel !

C 5 Les coulisses du zoo (Junior)
Carnets d'un vétérinaire
par Sheldon L. Gerstenfeld

Comment les kangourous montrent-ils leur colère ? Comment faire une prise de sang à une tortue? Comment administrer un médicament à une hippopotame ? Comment prendre la température d'un élépahant ? Ecrit par un vétérinaire, un guide présentant avec humour une foule d'informations sur les animaux du zoo.

C 6 Les dieux s'amusent (Senior)
La mythologie
par Denis Lindon

Un précis de mythologie aussi savant que souriant. Un livre passionnant, drôle et instructif, qui nous permet de (re)découvrir les plus belles histoires du monde : les amours de jupiters, les facéties de Mercure, les complexes d'Œdipe, les colères d'Achille, les ruses d'Ulysse...

C 7 Un appétit d'ogre (Junior)
Le mystère des aliments
par Lesley Newson

Pourquoi les vaches peuvent-elles se nourrir d'herbe et pas nous ? Comment se fait-il que la cuisson durcisse le blanc de l'œuf et ramollisse les pâtes ? Comment sont fabriqués les bonbons ? À ces questions, et à bien d'autres, une biologiste apporte des réponses claires, souvent drôles, mais toutes scientifiques.

C 8 Top chrono (Junior)
La mesure du temps qui passe
par Franklyn M. Branley

Pourquoi y a-t-il soixante minutes dans une heure ? Pourquoi février ne compte que vingt-huit jours ? Qui a inventé les fuseaux horaires? Pour mieux comprendre comment les hommes ont appris à mesurer le temps qui passe et à y poser des jalons, un petit livre qui remonte le temps – et vient à temps.

Cet
ouvrage,
le treizième
de la collection
CASTOR POCHE CONNAISSANCES,
a été achevé d'imprimer
sur les presses de l'imprimerie
G. Canale & C. S.p.A.
Borgaro T.se - Turin
en avril
1996

Dépôt légal : mai 1996.
N° d'Édition : 3801. Imprimé en Italie.
ISBN : 2-08-163801-0
ISSN : 1147-3533
Loi n° 49-956 du 16 juillet 1949
sur les publications destinées à la jeunesse